Nous remercions le Conseil des Arts du Canada,
le ministère du Patrimoine canadien et la SODEC
de l'aide accordée à notre programme de publication.

Illustration de la couverture :
Isabelle Langevin

Édition électronique :
Infographie DN

Dépôt légal : 4ᵉ trimestre 2000
Bibliothèque nationale du Canada
Bibliothèque nationale du Québec

123456789 AGMV 0543210

Le message
de l'arbre creux

Données de catalogage avant publication (Canada)

Lunn, Janet, 1928-

[Hollow Tree. Français]
Le message de l'arbre creux

(Collection des deux solitudes, jeunesse ; 33)
Traduction de : The Hollow Tree.

ISBN 2-89051-772-1

I. Parenteau-Lebeuf, Dominick II. Titre III. Titre :
Hollow Tree. Français. IV. Collection

PS8573.U55H614 2000   jC813'.54   C00-941380-4
PS9573.U55H614 2000
PZ23.L86Me

L'édition originale en langue anglaise
de cet ouvrage a été publiée par
Alfred A. Knopf Canada sous le titre
The Hollow Tree
© 1997 by Janet Lunn

Janet Lunn

Le message de l'arbre creux

traduit de l'anglais par
Dominick Parenteau-Lebeuf

ÉDITIONS
PIERRE TISSEYRE

5757, rue Cypihot, Saint-Laurent (Québec) H4S 1R3
Téléphone: (514) 334-2690 – Télécopieur: (514) 334-8395
Courriel: ed.tisseyre@erpi.com

ROUTES

→ Parcours de Phoébée
⊞⊞⊞⊞ Parcours de James
+++++++ Parcours des Robinson
---------- Parcours des réfugiés
—·—·— Route militaire

LIEUX DE RENCONTRE

① Phoébée rencontre Peter Sauk
② Début du voyage de James
③ Les Robinson rencontrent les Loyalistes vermontois
④ Phoébée rencontre James
⑤ Phoébée et James rencontrent d'autres réfugiés
⑥ Phoébée libère Japhet Oram et s'enfuit
⑦ Phoébée et James se disent au revoir

BAS-CANADA (Québec)

HAUT-CANADA (Ontario)

FLEUVE SAINT-LAURENT

BAIE DE HAWTHORNE

LAC ONTARIO

N
W   E
S

0   50   100

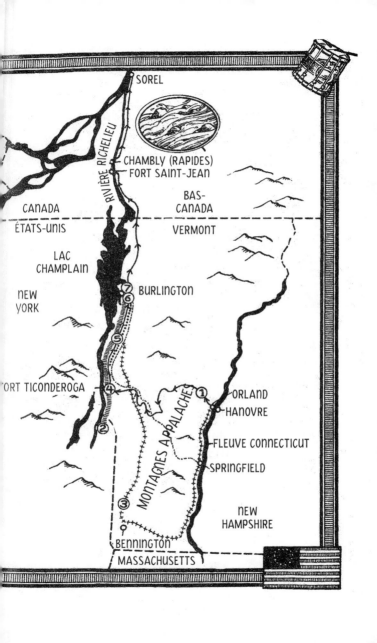

*À Louise, qui comprend
les histoires mieux que quiconque,
avec tout mon amour et ma gratitude.*

L'auteure remercie le Conseil des Arts de l'Ontario du gouvernement pré-Harris, la Société d'histoire du Vermont, la bibliothèque de l'Université du Vermont, la bibliothèque municipale de Norwich (Vermont), la bibliothèque municipale de Trenton (Ontario), Angela Thorpe de la bibliothèque municipale de Newport (New Hampshire), Christopher Marshall, Greg Brant, John Lunn, l'équipe de rédaction de Knopf Canada, les enfants de l'école C.M.L. Snider de Wellington (Ontario) qui l'ont écoutée lire, et plus que tout autre, Kathryn McCarthy pour sa patience et sa bonne humeur à travers les innombrables réécritures du manuscrit.

1

Au bord du fleuve

Toute sa vie durant, Phoébée Olcott n'oublia jamais le dernier bel après-midi qu'elle passa chez elle, au bord du fleuve Connecticut. C'était un jour de mai 1775, et elle s'était assise dans son endroit préféré, sur la berge vermontoise du grand cours d'eau.

Phoébée habitait avec son père, Jonathan Olcott, à Hanovre, au New Hampshire, un petit village perdu dans la nature sur la rive du fleuve. Cinq ans auparavant, lorsque Éléazar Wheelock avait déménagé son collège presbytérien et son école amérindienne à Hanovre, les Olcott l'avaient suivi depuis le Connecticut, en remontant la longue route vers le nord, leurs charrettes à bœufs pleines à craquer. Jonathan Olcott était venu enseigner au collège.

Dès leur arrivée, professeurs et étudiants s'étaient mis en frais d'abattre les énormes pins blancs et de construire les habitations et les bâtiments nécessaires au fonctionnement des deux établissements d'enseignement. Toutefois, en 1775, le collège Wheelock n'était encore qu'une poignée de constructions grossières entourant une clairière parsemée de souches et baptisée «la Grand-Place».

Pour Phoébée qui l'adorait, Hanovre était le centre du monde. Elle aimait les énormes dortoirs et les salles de classe en bois naturel du collège. Elle aimait la maison du Dr Wheelock que tout le monde appelait «le manoir». Elle aimait la résonance du fer contre le fer qui émanait des profondeurs ardentes de la forge d'Israël Curtis lorsqu'il façonnait fers à cheval, charnières et foyers. Elle aimait la boutique de charpente de maître Seaver et son parfum de copeaux de pin frais. Elle aimait même la taverne du capitaine Storr, bien qu'elle n'y allât jamais et que les rires et les cris qui s'en échappaient parfois lui fissent peur. Elle préférait que les jeunes hommes débarquassent chez elle enivrés d'idées plutôt que de rhum.

L'esprit enflammé, ils venaient discuter de philosophie grecque et de doctrine chrétienne avec le père de Phoébée. Parfois, ils arrivaient avec des pigeons, des perdrix, des lièvres ou des chevreuils qu'ils donnaient à Phoébée pour qu'elle les fît rôtir sur le feu. Les manières douces de la jeune fille trouvaient grâce auprès des étudiants de son père qui l'appelaient de noms de petits animaux comme Souris – ainsi que son cousin Gidéon l'avait surnommée – ou encore Petit Oiseau, à la manière du Mohawk Peter Sauk.

Phoébée se glissait dans l'espace étroit entre le mur de rondins et le foyer de pierre de la grande pièce et écoutait les conversations en soupirant. Elle aurait tant aimé se joindre à eux si elle n'avait pas été aussi timide. Cependant, elle réfléchissait aux idées qui étaient échangées et souhaitait que les femmes, comme les hommes, pussent, dans l'avenir, étudier au collège et y enseigner. Un jour, pensait-elle, elle épouserait un étudiant de son père qui deviendrait professeur à son tour, et, ainsi, la vie suivrait son cours.

La mère de Phoébée et son frère encore nourrisson étaient morts de la rougeole quand elle avait quatre ans. Si elle ne se rappelait pas de son frère, elle se souvenait clairement du sourire de sa mère et de la douceur de sa voix lorsqu'elle chantait. Mais le temps manquait pour pleurer la mort de quelqu'un dans cet endroit isolé.

À l'âge de quatre ans, Phoébée avait dû apprendre à s'occuper de son père et d'elle-même. Maintenant, à treize ans, en plus des connaissances livresques qu'elle avait reçues de Jonathan Olcott, elle savait apprêter les animaux et les plantes sauvages de la forêt aussi bien que les pommes de terre, les citrouilles et les oignons qu'elle cultivait dans son minuscule potager. Elle savait filer le lin rêche autant que la laine souple, puis les tisser ensemble afin d'obtenir le matériel avec lequel elle confectionnait des chemises et des culottes pour son père et des robes droites pour elle-même. Quelquefois, elle teignait même le tissu en rouge ou en brun à l'aide de sanguinaires ou de sumac. Chaque matin, elle s'assurait que son père avait ses livres sous le bras, son foulard autour du cou, son chapeau sur la tête et sa part de viande et de pain dans la poche de son manteau avant qu'il ne traversât la Grand'Place pour aller rejoindre ses étudiants.

Pour Phoébée, le village de Hanovre était comme sa maison de bois rond lorsqu'une tempête faisait rage au-dehors : un havre de paix dans un environnement sauvage.

12

Toutefois, par ce bel après-midi de mai, rien de tout cela n'occupait son esprit. Elle avait délaissé sa besogne et tentait d'oublier la guerre dont Jonathan Olcott et ses étudiants ne cessaient de parler depuis un certain temps. À l'idée que son impulsif de père pût partir au combat du jour au lendemain, elle eut la nausée. Non, il ne fallait pas y penser. Elle rentra son châle sous sa ceinture, retroussa sa jupe et dévala la colline jusqu'à la petite anse où maître Starling gardait son canot. En échange de son reprisage, le vieux célibataire laissait la jeune fille utiliser sa frêle embarcation. Phoébée menait une vie trop frugale pour payer les deux pence que coûtait la traille et, qui plus est, elle aimait mesurer la force de ses bras au puissant courant du fleuve. Elle pagaya habilement en direction de la rive occidentale du large cours d'eau, là où un ruisseau se jetait dans le fleuve à proximité d'une petite noue de castors, protégée de l'envahissement de la forêt par cinq saules géants.

Le soleil était haut dans le ciel bleu profond, mais l'air était frais. Une bonne brise soufflant de l'est avait facilité la traversée à Phoébée, mais l'avait rendue plus ardue à une volée d'oies sauvages, qui remontaient vers le nord. Alors qu'elle approchait de la rive, un couple de loutres plongea dans l'eau sombre

13

et alarma un geai bleu perché sur la branche basse d'un saule. Du coup, celui-ci s'envola en poussant un cri strident et indigné.

Phoébée sauta hors du canot et le tira sur l'herbe. Elle huma l'air odorant de mai, la fraîcheur des violettes bleues et de l'ail doux[1], et la douceur des arbousiers rampants sous les dernières plaques de neige, à l'ombre des rochers. Elle écouta le gazouillis de la fauvette et contempla les minuscules feuilles vert tendre qui adoucissaient les branches des saules. Elle répondit au coassement des jeunes grenouilles qui faisaient retentir leurs voix hautes et perçantes sur les berges boueuses, puis traversa vivement la noue jusqu'au plus gros saule. À mi-hauteur, entre le sol et la branche la plus basse, se trouvait un trou profond. Ce creux était à la fois la maison d'un écureuil gris que Phoébée avait baptisé Constance d'après une commère de Hanovre, et la boîte aux lettres qu'elle partageait avec ses cousins, Anne et Gidéon Robinson.

Quand Phoébée pouvait échapper à son travail et traverser le fleuve – si, bien sûr, elle n'avait pas le temps de gravir la colline et de se rendre à Orland où habitaient ses cousins –, elle laissait un message dans l'arbre creux. En quelques mots, elle leur donnait les plus

---

1. N.D.L.T. Érythrone d'Amérique.

récentes nouvelles et leur indiquait à quel moment elle avait été là et quand elle comptait revenir. Anne et Gidéon faisaient de même.

Anne avait deux ans de plus que Phoébée et aimait bien le lui rappeler. Elle était parfois très caustique et avait des sautes d'humeur aussi brusques et changeantes qu'un orage de juin. Phoébée n'était pas toujours à l'aise en sa présence, mais elle ne pouvait s'empêcher d'admirer sa vivacité, son aisance et sa force d'attraction.

Aussi sérieux que sa sœur était frivole, Gidéon était de deux ans son aîné. Chaque fois qu'il le pouvait, il fuyait ses tâches quotidiennes pour aller dans les bois ramasser des plantes. La ferme et les études ne l'intéressaient pas. Sa passion consistait à collectionner et à cataloguer les plantes sauvages du Vermont. Phoébée adorait Gidéon. Elle adorait sa nature sérieuse, ses sourires occasionnels qui étaient comme autant de cadeaux, et sa patience envers Billy Wilder, le gentil garçon que les villageois appelaient simple d'esprit, et qui le suivait partout avec une dévotion servile.

Phoébée et ses cousins avaient été comme frère et sœurs toute leur vie. Leurs mères étaient sœurs et leurs pères, amis. Les Robinson avaient choisi de s'installer au Vermont parce que les gens qu'ils avaient suivis depuis le

Connecticut avaient décidé de peupler le village d'Orland. Et le père de Phoébée avait choisi le New Hampshire simplement parce qu'il devait occuper un poste de professeur au collège de Hanovre. Néanmoins, les deux familles, comme les deux colonies, n'étaient séparées que par le fleuve Connecticut, et Phoébée, Anne et Gidéon pouvaient donc se rencontrer dans leur noue favorite chaque fois qu'ils le souhaitaient. Ce jour-là, Phoébée trouva un bref message, griffonné de la main d'Anne : « Jeudi, après le dîner. » Et on était jeudi, après le dîner.

Avant que Phoébée n'eût eu le temps de retrousser sa jupe, de fourrer la note dans la pochette qu'elle portait autour de la taille, et de s'asseoir sous l'arbre, Anne était là.

— Alors, tu es venue, dit-elle en souriant à Phoébée.

— Oui, et j'ai la main endolorie d'avoir filé si vite, ce matin. Je voulais finir mon ouvrage pour profiter de l'après-midi pour venir ici. Je viens à peine de lire ton message.

— Phoébée, dit Anne en secouant la tête, tu es trop obéissante. Est-ce que tu ne te libères jamais de ton travail sans te tracasser ?

— Non. Comment le pourrais-je ?

— Ah ! nous sommes si différentes.

Anne jeta son châle par terre et s'assit dessus.

— Oui, ajouta-t-elle. Si différentes.

Elles l'étaient en effet en apparence comme en tempérament. D'abord, Anne n'avait pas seulement deux ans de plus que Phoébée, mais au moins dix centimètres[2], aussi. Elle était mince et gracieuse, ses mains et ses pieds étaient longs et fins, et ses beaux cheveux brun clair – qu'elle disait dorés – bouclaient légèrement autour de son visage pâle et d'un bel ovale. Les extrémités de ses yeux violet profond remontaient juste assez dans les coins pour donner à son visage un je-ne-sais-quoi d'intéressant. Elle plaisantait souvent avec les jeunes hommes du village et avait la répartie facile à leurs taquineries. S'ils la considéraient comme la plus belle fille du village, les jeunes femmes lui conféraient, toutefois, le titre de la plus vaniteuse. Chaque matin, elle se vêtait avec grand soin et avait toujours fière allure. Cet après-midi-là, elle portait une robe rosée avec un col orné de dentelle. Son châle était à motifs de carreaux noir et blanc.

De son côté, Phoébée avait toutes les caractéristiques de la petite boulotte gauche et timide. Son visage rond était encadré par des cheveux bruns raides et fins, qui tenaient difficilement en tresse et volaient de tous les

2. N.D.L.T. Les mesures impériales (pouce, verge, mile, arpents, etc.) ont toutes été converties en mesures métriques.

côtés. Ses yeux marron étaient grands et brillants, son nez petit, et sa bouche large. «Beaucoup trop large», lui disait souvent Anne, qui ajoutait parfois avec bonté : «Mais tes yeux sont parfaits, Phoébée. À mon avis, ils sont ce que tu as de mieux.» «Ils ne sont pas croches et je vois tout ce qu'il y a à voir», avait répondu Phoébée d'un ton acerbe, la première fois qu'Anne lui avait parlé de ses traits. Honnêtement, elle passait peu de temps à se soucier de son apparence physique ou vestimentaire. Loin d'avoir de la dentelle à son col, elle ne s'était même pas préoccupée de teindre le tissu dans lequel elle avait taillé sa robe de tous les jours. Elle avait compris très tôt qu'elle n'était pas une beauté et ne voyait pas pourquoi elle s'en tourmenterait.

— Gershom Lake est venu me porter un cadeau, hier soir, dit Anne.

Elle s'appuya contre l'arbre, attendant la réponse de Phoébée, qui ne vint pas.

— Tu ne veux pas savoir ce qu'il m'a donné ?

Il y avait une pointe d'agacement dans sa voix.

— Oh oui, bien sûr.

— C'est beaucoup plus qu'un petit cadeau, dit Anne négligemment. Un porte-bonheur.

Un cœur qu'il a fabriqué avec une vieille cuillère d'argent de sa mère.

— Ça, par exemple !

Phoébée prit le cœur d'argent qu'Anne lui
tendait. Elle se demanda comment serait sa
vie si un jeune homme lui apportait des
cadeaux.

— Tu as raison : c'est un beau cadeau.
Vas-tu te marier avec Gershom Lake, alors ?

— Par pitié, non !

Anne reprit le cœur à Phoébée et se mit
à le lancer d'une main à l'autre.

— Mais j'aime beaucoup ce qu'il me
donne.

Son sourire était empreint de tant de suffisance que Phoébée en fut choquée.

— Anne, comment peux-tu être si méchante ? Tu verras qu'un jour, tu seras mise au
rancart, seule et sans mari. Tu seras…

Elle s'arrêta. Elle n'avait pas envie d'être
la cible des répliques caustiques d'Anne. Et
plus encore, elle connaissait trop bien l'opi-
nion de sa cousine quant à ses propres chances
de trouver un mari.

— Je m'en fous, dit Anne en reniflant. Je
ne veux pas épouser un garçon de village. Je
veux aller à Boston ou à New York, ou même
de l'autre côté de l'océan, à Londres. Il n'est
pas question que je passe ma vie à m'échiner
dans ce trou perdu. Je veux être une grande

dame et porter des robes de soie et des escarpins de chevreau avec des boucles en diamants. Maîtresse Shipley était une grande dame lorsqu'elle vivait à Boston avant que son mari ne se perde en mer avec tous ses vaisseaux et...

— Je sais. Je sais tout sur maîtresse Shipley.

Dans un geste mélodramatique, Phoébée mit ses mains sur son cœur et entonna :

— Maîtresse Shipley a souffert incommensurablement des vicissitudes d'un atroce destin.

— Vraiment, Phoébée, dit Anne en se levant, tu n'as pas besoin de me réciter des tirades tout droit sorties des vieux livres de ton père. Maîtresse Shipley était une grande dame, et c'est épouvantable qu'elle doive vivre dans cette horrible baraque. Ce paresseux de Robert pourrait au moins bâtir une maison décente à sa mère.

Anne fut interrompue par quelqu'un qui arrivait par le sentier de la forêt. Un grand jeune homme à la tignasse brune dégringola la colline à travers les buissons jusque dans la noue.

— Il va y avoir une guerre ! annonça-t-il à bout de souffle. Je le savais. Depuis que ces têtes brûlées de fermiers ont tiré sur des soldats britanniques à Lexington, au Massachusetts, c'était évident que le roi ne se laisserait pas outrager de la sorte.

— Tu le savais, bien sûr que tu le savais, se moqua Anne en remettant son châle sur ses épaules. Gidéon, s'il y a une guerre, ce n'est pas le roi qui la commencera ; ce sont ces fermiers et leurs amis bostonnais. Papa l'a dit ; je l'ai entendu.

— Tout ça n'a aucune importance, petite, car le roi ne laissera jamais faire ces rebelles.

Gidéon se tenait au centre de la noue, les jambes écartées, les mains derrière le dos et la tête penchée vers l'arrière de tant d'exaltation. «Il ressemble à un prédicateur», pensa Phoébée en colère. Elle aimait tant Gidéon qu'elle abhorrait ses plus petites imperfections. Et il se tenait là, pompeux dans sa passion.

— Et qui plus est, enchaîna-t-il, notre roi voudra s'assurer que les habitants de ses treize colonies américaines ne sont pas tous déloyaux. Je devrai donc assurément m'enrôler à son service.

— Oh là, Gidéon, dit Anne, amusée, tu ne peux pas faire ça. Papa ne te le permettra jamais. Tu sais qu'il ne te le permettra pas.

— Je sais. Je sais à quel point il déteste les batailles, dit Gidéon en enfouissant ses mains dans ses poches. Il dira que Jésus nous a dit de présenter l'autre joue. Mais, Anne, la guerre, c'est différent. La guerre, c'est...

21

Il se mit à marcher de long en large à travers la noue. Sa suffisance s'était évanouie. Soudain, il pivota sur lui-même et fit face aux deux cousines.

— Cette guerre est importante! cria-t-il. Nous ne pouvons pas laisser des bons à rien comme Hiram Jesse et Élieus Pickens mener nos vies. Certains de ces traîtres parlent de se rendre à Boston pour se battre contre les soldats britanniques. Nous devons les en empêcher!

— Papa dit..., commença timidement Phoébée.

— Ton p-p-papa! bégaya Gidéon, surexcité. Ton papa appuie la cause des rebelles. Les Patriotes, comme il les appelle. Pas plus tard que la semaine passée, il était assis dans notre salon à siroter notre cidre, en parlant de Paul Revere et de Samuel Adams – ces fomentateurs de troubles de Boston! – comme s'ils étaient des héros! Avant que tu ne t'en aperçoives, ton père sera parti se battre avec les rebelles. Patriotes! Comment peuvent-ils s'appeler Patriotes? Ils sont déloyaux. Ce sont des traîtres. Ton père est un traître!

Phoébée était horrifiée. Gidéon pensait aussi que son père partirait pour la guerre. Soudain, elle fut convaincue que son cousin irait se battre, lui aussi, mais dans l'armée du roi. Les deux personnes qu'elle aimait le plus au monde combattraient dans des camps opposés. Mon Dieu, ils finiraient peut-être par se tuer l'un l'autre.

Elle ne pouvait en entendre davantage. Elle ramassa son châle et, sans un mot, traversa la clairière en quelques enjambées, poussa le canot dans l'eau, y sauta promptement et pagaya furieusement vers la rive du New Hampshire. Elle ne répondit pas aux appels d'Anne et de Gidéon. Elle rama de toutes ses forces contre le puissant courant et le vent qui se levait, contente de l'effort à produire et de la douleur dans ses bras.

La guerre. Ils allaient être en guerre. À présent, elle ne cessait d'y penser.

Deux jours plus tôt, elle avait entendu son père dire à un groupe d'étudiants : « Cette guerre se prépare depuis des années. » Ce soir-là, la discussion philosophique avait tourné en un échange musclé sur le pour et le contre de cette guerre contre le roi George III.

« Le geste posé par les patriotes bostonnais était parfait. Jeter ces coffres de thé dans le port de Boston était la chose à faire ! » Jonathan Olcott avait abattu son poing sur la grosse table de bois. « Le roi devrait savoir que nous ne pouvons tolérer – nous ne tolérerons pas ! – d'être taxés sur le thé et les autres biens. Si nous ne pouvons élire nos représentants et les envoyer siéger au Parlement de

Grande-Bretagne qui prend les décisions nous concernant, si nous ne pouvons être traités comme de vrais sujets britanniques, alors je dis que nous ne serons plus des sujets britanniques. » Il avait frappé la table si fort que les assiettes et les plats s'étaient entrechoqués dans le vaisselier de l'autre côté de la pièce. «Si cela devait être nécessaire, avait-il achevé lentement et calmement, tous les Américains qui ont à cœur les droits des hommes libres devront faire la guerre. »

Ce soir-là, les étudiants étaient repartis de chez les Olcott sans leurs plaisanteries habituelles et leurs joyeux au revoir. Ils étaient silencieux, retirés en eux-mêmes, songeurs.

Et là, à peine deux jours plus tard, voilà que Gidéon traitait son père de traître et disait que la guerre était déjà en cours, que des batailles avaient déjà eu lieu à Lexington et à Concord, près de Boston, à quelque cent cinquante kilomètres de chez elle.

Essoufflée de l'épuisante traversée et de l'ascension rapide de la colline, Phoébée ouvrit la porte de la maison et trouva son père assis près du feu, qui nettoyait son mousquet. Il leva la tête et fixa sa fille d'un regard vide, comme s'il ne la reconnaissait pas. Phoébée avait l'habitude que son père fût perdu dans ses pensées.

— Papa, que fais-tu? lui demanda-t-elle en jetant un coup d'œil inquiet au mousquet.

— Oh! Phoébée, c'est toi. Je suis content que tu sois là. Phoébée, nous partons à la guerre. Nous allons réclamer nos droits à cet entêté de roi, là-bas, à Londres.

Phoébée souffla sur une mèche de cheveux qui lui tombait sur les yeux. Elle s'appuya au cadre de porte. Son pouls cognait dur dans ses oreilles. Elle était affolée.

— Papa, tu sais à quel point tu détestes tirer. Tu... tu es professeur.

— Ma fille, le temps n'est plus à la retenue. Nous, en Amérique, nous avons essayé autant comme autant de faire comprendre au gouvernement de Londres que nous ne nous laisserions pas taxer, persécuter et commander comme des esclaves. Même ici, à Hanovre, nous ne pouvons pas vendre nos pins géants comme bois de charpente! Ils doivent traverser l'océan pour servir de mâture aux navires britanniques afin que ces mêmes navires puissent venir maintenir l'ordre chez nous. C'est injuste. Nous devons nous battre!

Il n'y avait pas une heure, Phoébée avait entendu des paroles proférées sur le même ton par Gidéon. Elle essaya de ravaler la peur qui montait en elle comme la marée.

— Papa, murmura-t-elle, tu ne peux pas partir. Tu te feras tuer.

— Je dois prendre ce risque, mon enfant. Je suis de cœur et d'esprit avec le Virginien Patrick Henry lorsqu'il a dit : « Donnez-moi la liberté ou donnez-moi la mort ! »

Le lendemain matin, Phoébée regarda son père, trois professeurs, une douzaine d'étudiants et quelques hommes venus de plus haut sur le fleuve Connecticut se rassembler sur la Grand-Place et partir en direction de Boston afin de joindre les rangs toujours grandissants de l'armée rebelle. Un mois plus tard, Jonathan Olcott était tué lors de la bataille de Bunker Hill, près de Boston. Les coups de canon étaient si retentissants que leur réverbération était ressentie à Hanovre, à cent cinquante kilomètres de là.

2

Traîtres et espions

Deux ans plus tard, Phoébée habitait désormais chez les Robinson, à Orland. À l'automne 1777, à presque quinze ans, elle avait gagné tout juste trois centimètres. Visage potelé et corps rondelet, elle se considérait encore comme une fille très ordinaire, ce qu'Anne ne se lassait pas de lui rappeler.

Au début, elle n'avait pas voulu quitter la maison de Hanovre. Elle avait voulu y rester et la garder en ordre parce que cela apaisait son chagrin, et que l'abandonner eût été comme accepter que son père ne reviendrait jamais. Oncle Joshua était venu la chercher. Joshua Robinson était un homme frêle et bon que les gens voulaient instinctivement protéger des ennuis, et Phoébée était une jeune fille qui détestait faire du tort à autrui. Cependant, elle était très têtue pour les choses qui lui tenaient à cœur, et elle avait refusé de déménager. À la fin, Gidéon avait dû venir la chercher.

Phoébée n'avait jamais rien pu refuser à Gidéon. Billy Wilder et lui venaient cogner à sa porte et vidaient leurs sacs remplis de bouts d'écorce, de feuilles, de plantes et d'ailes d'oiseaux qu'ils avaient trouvés et qu'elle devait identifier et étiqueter. Elle avait toujours classé et identifié de bon cœur tous les spécimens que collectionnait Gidéon. Elle avait enduré ses sautes d'humeur et ses accès de contrariété lorsqu'elle n'avait pas fait les choses correctement. Elle avait lavé et reprisé ses chemises lorsqu'il les avait salies ou déchirées pour que sa mère n'en sût rien. Elle avait même rendu ce service à Billy Wilder.

Si bien que quand Gidéon était venu la chercher, elle avait empaqueté sa chemise, sa jupe et son jupon de rechange, sa robe du dimanche et la grande cape de laine doublée de fourrure ayant appartenu à sa mère. Elle avait pris sous son bras le petit chat orange qui venait sans cesse s'asseoir sur le seuil de sa porte et était partie avec lui.

Tante Rachel les avait accueillis, le chaton et elle, comme Phoébée l'avait imaginé. Bien que réservée, tante Rachel était une femme aimante. De plus, elle était très forte et capable de tout prendre en charge dans n'importe quelle situation, quelle qu'en fût la difficulté. Une chance pour les Robinson, car oncle Joshua faisait un bien piètre chef de famille, incapable de grand-chose d'autre que de s'adonner à son travail d'érudit et de prier pour sa femme et ses enfants.

C'était donc Gidéon qui, à dix ans, avait mis à contribution ses bras déjà puissants afin d'aider les voisins à dégager leurs terrains et à construire leurs maisons, s'assurant ainsi qu'en retour, ceux-ci donneraient un solide coup de main aux Robinson quand viendrait le temps de défricher leur bout de terre et de bâtir leur première cabane. Oncle Joshua avait reçu un petit héritage qui lui avait permis d'engager des hommes pour aider à construire un second logement plus décent pour sa famille. Maintenant que cela était fait, ils vivaient dans une grande maison dominée par une imposante cheminée rattachée à deux foyers – l'un pour réchauffer la salle de rangement et le hall d'entrée et l'autre pour le salon – où on retrouvait un garde-manger, une cuisine avec foyer, un bureau qui longeait le mur arrière de la maison, et à l'étage, en haut d'un escalier en colimaçon qui partait du corridor, trois chambres à coucher. Joshua Robinson passait le plus clair de son temps dans son bureau, travaillant assidûment à l'écriture d'un essai sur le *Livre de Jérémie*. Sa pensée s'était fermée à cette guerre qui avait mené tant d'hommes et de jeunes gens à quitter le village et qui opposait des familles d'Orland les unes aux autres.

Tante Rachel avait été ravie de l'aide que Phoébée lui avait apportée dans les tâches domestiques. Anne et Gidéon étaient les plus vieux d'une famille de quatre enfants (trois autres enfants étaient morts en bas âge). Les deux petits garçons – Jédéas, cinq ans, et Noé, quatre ans – étaient, au dire de leur mère, « les épreuves que Dieu avait omises d'envoyer à Job ». Ils couraient de tout bord tout côté, n'obéissant ni à leur mère surchargée de travail ni à leur père à la voix trop douce. Quant à Anne, elle ne semblait jamais être là quand il s'agissait de les surveiller. Phoébée poursuivait les deux petits garnements, qui avaient encore fait des leurs, et se disait que ce ne serait pas plus mal si une fois, juste une fois, leur père leur filait une bonne fessée.

Cependant, Joshua Robinson ne tolérait pas la violence et encore moins dans sa maison. Phoébée était convaincue que si Gidéon était là, les garçons ne disparaîtraient pas si aisément dans la forêt, ne partiraient pas pour le ruisseau sans prévenir ni ne tourmenteraient sans cesse leur sœur.

Mais Gidéon n'était pas là. Il était parti en juillet de l'année précédente, un mois après son dix-neuvième anniversaire et une semaine après que le tout nouveau Congrès continental représentant les treize colonies américaines rebelles se fut officiellement déclaré indépendant de la Grande-Bretagne. Il était allé joindre les rangs britanniques, et ni les prières de son père ni les supplications de sa mère ne purent le convaincre de rester à la maison.

Au matin, après avoir dit au revoir aux autres, il avait quitté le village et s'était dirigé vers l'arbre creux où, la veille, il avait demandé à Anne et à Phoébée de le rejoindre. Dans la douce lumière matinale, il s'était incliné devant l'une et l'autre, puis leur avait dit : «Mesdames, vous avez devant vous un soldat du roi. » Il portait ses culottes brunes cousues maison, sa veste sans manches, son veston, ses bas rayés vert et brun et ses robustes chaussures de cuir. Malgré la force et la beauté qui se dégageaient de lui à ce moment-là, Phoébée n'avait eu qu'une pensée en tête : lui aussi, à son tour, mourrait bientôt. Elle n'avait pu prononcer un seul mot jusqu'à ce qu'il l'eût entourée de ses bras et lui eût dit :

— Tout ira bien, Souris, tu verras. Quand nous aurons écrasé ces coquins, tout ira bien. Oh! Phoébée.

Il avait avalé la boule qu'il avait dans la gorge et avait resserré son étreinte.

— Je ne voulais pas insulter ton père, Phoébée, je te jure. Je sais qu'oncle Jonathan croyait en la cause des rebelles même si… Oh! Phoébée, ne pleure pas, je t'en prie.

— Je n'y peux rien.

— Phoébée, je ne peux pas supporter de te quitter avec le souvenir de ton visage rougi et barbouillé de larmes. Je t'en prie. Et tu dois m'aider. Tu dois prendre soin de Billy Wilder et veiller à ce que Pauline Grantham n'épouse pas un de ces satanés rebelles pendant que je suis parti sauver le pays.

Il aurait continué si Anne ne l'avait interrompu:

— Arrête de pleurnicher, Phoébée. Gidéon sera splendide dans son uniforme écarlate avec son épée à la ceinture, avait-elle dit, les yeux pétillants d'excitation. Je me fous de ce que papa dit, Gidéon. Si j'étais un garçon, je partirais avec toi. La guerre est si romantique!

— Le beau soldat que tu ferais avec tes minauderies! s'était moqué Gidéon.

Phoébée n'avait rien ajouté. Elle avait pensé à oncle Joshua, à tante Rachel, à Billy Wilder et à Pauline Grantham. « La fille la plus gentille au monde et la plus chère à mon cœur », avait dit Gidéon, un jour que Phoébée l'aidait à trier ses spécimens de plantes. Elle lui avait tourné le dos pour ne pas qu'il vît à quel point ses mots l'avaient blessée. Comment une fille pouvait-elle lui être plus précieuse qu'elle, Phoébée ? Gidéon avait été plus cher à son cœur que son propre père. Elle n'avait jamais entretenu de fantasmes romantiques à son égard, comme elle avait pu le faire pour certains étudiants de Jonathan Olcott – elle aimait Gidéon d'une autre façon –, mais de l'entendre proférer ces mots doux pour les yeux d'une autre lui était très douloureux.

Toutefois, au moment de l'au revoir, Pauline Grantham ne lui avait pas effleuré l'esprit. C'était plutôt d'autres questions qui l'avaient obsédée. Pourquoi Gidéon partait-il pour la guerre, Gidéon qui avait étudié la forêt avec autant d'application que Jonathan Olcott ses livres ? Son cousin n'était d'ailleurs pas plus soldat que son père. Qui était ce roi pour qui il abandonnait ses précieuses plantes et partait se battre ? Qui était ce roi de qui son père voulait tant se libérer qu'il en avait livré bataille et en était mort ? Ne leur était-il pas suffisant d'avoir une maison pour se protéger des intempéries, un potager pour cultiver des légumes, et du lin et de la laine pour faire des vêtements ?

Il ne semblait y avoir aucune réponse à ces interrogations. Et Gidéon était là, la tête ensoleillée, le visage résolu, et les cheveux tressés et attachés avec un beau ruban noir à la façon des soldats.

Maintenant, plus d'un an après, alors que les érables se couvraient de leur manteau d'automne aux teintes incendiaires, Phoébée ressassait encore ces questions, se gardant bien d'en faire part à quiconque. Depuis les premiers jours de la rébellion à Lexington, à Concord et à Boston, des combats avaient eu lieu dans les treize colonies, et les gens étaient devenus craintifs, ne sachant plus qui était ami ou ennemi. Des familles complètes avaient été chassées de leurs maisons et d'autres blessées, voire tuées, par leurs voisins, parfois au nom du roi, parfois au nom du Congrès continental. En cette année 1777, le Vermont s'était déclaré république indépendante, mais ses habitants n'étaient pas moins divisés sur la question. Des affrontements avaient cours au sud de la province de New York ainsi qu'à Hubbardton et à Bennington, au Vermont, sur le versant ouest des montagnes Vertes[3]. Toutefois, aucune bataille n'avait encore fait trembler le versant oriental, et Orland demeurait donc, en regard des conflits

---

3. N.D.L.T. En anglais, les *Green Mountains*.

armés, un lieu paisible. Quoi qu'il en fût, la guerre avait envahi la vie des villageois comme partout ailleurs en ce coin d'Amérique.

La vie au village avait changé. Ici aussi, des voisins, des amis, des familles s'étaient tourné le dos, même si certains, comme Joshua Robinson, étaient trop pacifiques pour choisir un camp ou l'autre. Les familles ne se rassemblaient plus pour construire les charpentes de maison ou de grange. Plus question pour le forgeron, maître Jonas Marsh, de forger une paire de charnières pour maître Philippe Grantham, le meunier, et d'attendre que le grain fût moulu pour se faire payer. Plus question non plus pour maîtresse Marie Converse d'offrir sa levure à maîtresse Déborah Williams quand celle-ci n'en avait plus. On ne pouvait jamais savoir de quel côté de la rébellion une famille penchait, à moins que les hommes de cette famille ne fussent partis se battre avec les Anglais ou les Patriotes. Les gens avaient peur de se montrer amicaux. Sur le chemin qui traversait le village, les portes se fermaient au nez des sympathisants britanniques. Seule Pauline Grantham était demeurée amie avec les Robinson.

Certains hommes d'Orland avaient formé un comité pour la sécurité publique – comme dans d'autres villages prorébellion – afin de s'assurer de la loyauté des habitants à la cause rebelle ; ils s'appelaient les Patriotes. Ceux qui, comme Gidéon, étaient demeurés fidèles à la couronne d'Angleterre se nommaient les Loyalistes. Les Patriotes les appelaient « Tories », un vieux mot anglais pour désigner les supporteurs du roi. Quant à ceux qui ne voulaient rien savoir de la guerre, les Patriotes les classaient aussi parmi les Tories.

Sur la place du village, il y avait un chêne gigantesque, un arbre trop splendide pour être coupé. Ainsi en avaient décidé les colons lorsqu'ils avaient abattu une partie de la forêt et essouché le terrain pour y bâtir Orland. Les hommes du comité pour la sécurité publique avait baptisé ce chêne « l'arbre de la liberté ». Toutes les agglomérations des treize colonies possédaient un arbre de la liberté où les Patriotes engagés lisaient des proclamations, prononçaient des discours et pendaient des effigies de leaders loyalistes.

Jusqu'à l'automne, il n'y avait pas eu de violence à Orland, mais le climat avait tout de même rendu les Robinson anxieux. Ailleurs, de présumés Tories avaient été pillés, emprisonnés ou chassés de leur maison. Parmi ces derniers, certains s'étaient frayé un chemin à travers l'épaisse forêt et étaient allés trouver refuge dans les forts britanniques ; d'autres avaient pris le bateau jusqu'à Halifax, en

Nouvelle-Écosse, la quatorzième colonie américaine où la rébellion n'avait pas d'emprise; et quelques-uns avaient remonté les cours d'eau jusqu'au Canada où les Français conquis ne prenaient pas part aux combats. D'autres Loyalistes avaient été englués et emplumés, c'est-à-dire déshabillés, couverts de résine de pin chaude et roulés dans les plumes de poulet jusqu'à ce que leur peau se desquamât, puis traînés hors de la ville, attachés à une clôture. Les nouvelles de ces horreurs étaient arrivées au village par des voyageurs remontant le fleuve ou traversant les montagnes.

Puis, très tôt, par un beau matin d'octobre, peu après la première neige, alors que le soleil venait à peine de se lever au-dessus du rouge flamboyant des érables, le calme du village fut rompu par des cris. Jédéas et Noé coururent au-dehors pour voir ce qui était arrivé. Phoébée sortit sur leurs talons, bien déterminée à les ramener à la table du déjeuner, mais lorsqu'elle vit ce qui se déroulait, elle fut si choquée qu'elle en oublia les garçonnets.

— On n'a pas besoin de traîtres comme vous autres dans notre village de croyants!

C'était Élieus Pickens, le chef du comité pour la sécurité publique. Il tirait Déborah Williams hors de sa maison. Derrière elle,

Phoébée reconnut d'autres membres du comité, pourtant à peine visibles dans la demeure assombrie. Scout, le chien des Williams, était tapi près de la porte et grognait. Des gens approchaient en courant, qui tenant leur châle serré, qui mettant leurs mains dans leurs poches, qui enfonçant leur chapeau sur leur tête. Phoébée entrevit Pauline Grantham que sa mère tirait vers la scène. Même à cette distance, elle pouvait lire la peur sur le visage de la jeune femme.

John et Déborah Williams et leurs cinq enfants vivaient face à la forge, à trois maisons des Robinson. Leur charrette avait été harnachée au bœuf et stationnée devant l'entrée, et Moïse Litchfield et Hiram Jesse y entassaient les quatre jeunes Williams, les yeux écarquillés d'ahurissement. D'une main, Déborah Williams s'accrochait au montant de la porte et, de l'autre, tenait fermement son bébé. Ses cheveux, habituellement remontés en chignon et épinglés avec soin, pendaient devant son visage, et ses vêtements étaient en désordre. Elle devait s'habiller lorsque les hommes avaient fait irruption chez elle.

— Non! cria-t-elle. Vous ne pouvez pas me sortir de force de chez moi. Où irons-nous? Nous mourrons de faim!

— Mourez de faim si c'est votre destin! railla Élieus Pickens. C'est pas de nos affaires.

On a été généreux. On vous a laissés prendre une poche de fèves, une poche de farine pis une marmite. On vous a donné votre Bible, votre belle horloge de famille, des couvertures pis du linge. En plus, on vous a laissé votre acte de mariage pour que vous soyez en règle avec ces m'sieurs du Canada ou d'la Nouvelle-Écosse ou Dieu sait où vous vous ramasserez.

Sur ces mots, Élieus Pickens arracha Déborah Williams au montant de la porte et la poussa jusque dans la charrette. Maîtresse Williams était petite et n'avait aucune chance de vaincre un homme aussi gros et robuste que Pickens. Elle monta, tomba presque, dans la charrette.

— Elle a pas besoin de son horloge.

Moïse Litchfield agrippa la grande boîte de bois et l'arracha à la petite Margaret Williams, qui tentait désespérément de la protéger en l'entourant de ses bras. Elle éclata en sanglots et descendit de la charrette pour la reprendre. Litchfield la frappa.

— Holà! cria Jonas Marsh, le forgeron, de l'autre côté du chemin. Quoi qu'ils aient fait, t'as pas le droit de frapper les p'tits. Pas plus que t'as le droit de voler leur horloge.

— Ferais-tu partie des Tories, Jonas Marsh? demanda Litchfield en crachant dans sa direction. Voudrais-tu aller leur tenir compagnie?

Un murmure d'indignation traversa la foule. Hiram Jesse claqua la croupe du bœuf, qui se mit en marche. Les roues de la charrette grincèrent. Assise aux rênes, son bébé contre sa poitrine, Déborah Williams avait le visage dur comme pierre, la mâchoire rigide et les yeux fixés droit devant. Les enfants terrifiés s'accrochaient les uns aux autres en silence. Dans un dernier grognement, le chien sauta dans la charrette à côté d'eux.

Anne et tante Rachel se tenaient derrière Phoébée. Anne tourna vers elle un visage livide.

— C'est parce qu'on dit que John Williams serait parti se battre pour le roi, non ? murmura-t-elle.

Comme Phoébée ne lui répondait pas, Anne l'agrippa par les épaules.

— C'est ça, non ? C'est ça ?

— Oui. Je crois que oui.

Phoébée frissonna. John Williams avait disparu quelques mois plus tôt, et plusieurs croyaient qu'il était allé rejoindre les Britanniques ou espionner pour leur compte. Déborah avait dit à ses voisins que son mari était parti pour le Massachusetts aussitôt qu'il avait eu vent que sa mère fût alitée, mais cela n'avait rien changé.

— Mais, Phoébée, le mois dernier, Élieus Pickens...

— Chut !

Phoébée mit sa main sur la bouche de sa cousine et l'entraîna sur le chemin, en direction de la maison. Tante Rachel et les garçons les suivirent. Pour une fois, Jédéas et Noé n'avaient rien à dire.

Quand tous furent entrés, tante Rachel referma la porte derrière elle. Anne se tourna vers Phoébée.

— Ne mets plus jamais ta main sur ma bouche ! cria-t-elle. Si je veux parler, je parlerai. Tu n'es qu'une petite froussarde, Phoébée Olcott. Pas moi. Je n'ai pas peur. D'ailleurs, j'aimerais bien provoquer Élieus Pickens… et Moïse Litchfield et Hiram Jesse, tant qu'à y être ! Voler l'horloge de Deborah Williams ! C'était l'horloge de sa mère ! En plus de ses autres possessions et de sa maison et… et… Personne n'a fait quoi que ce soit pour les arrêter ! cria Anne, le visage rouge comme du sumac d'automne. Ah ! eux et leur comité pour la sécurité publique ! Je sais exactement quelle mouche a piqué Élieus Pickens. Et si je veux crier sur tous les toits qu'il essayait de faire la cour à Déborah Williams pendant que son mari était au loin, je le ferai !

— Anne, dit tante Rachel sur un ton sans réplique, Phoébée a raison. Ce n'est pas le moment de crier des choses comme celles-là que des gens pourraient entendre. Phoébée pense à Gidéon et tu devrais en faire autant. Rappelle-toi où est ton frère. Personne ne sait où se trouve John Williams. Le pauvre pourrait être avec sa mère, noyé dans une rivière ou en Pennsylvanie, aux côtés de George Washington lui-même, qui sait? Mais tout le monde sait où se trouve Gidéon. Il ne l'a jamais caché. Il est périlleux pour des gens dans notre situation de provoquer un homme comme Élieus Pickens.

— Mais ils ne pourraient pas...

La voix d'Anne tremblota.

— Ils le pourraient très bien, dit sa mère en soupirant. Et il ne se trouvera pas âme qui vive dans ce village pour les en empêcher. Personne n'est à l'abri de ce qui est arrivé à Déborah Williams et à ses enfants. Si Jonas Marsh n'était pas le seul forgeron du village, qui sait ce qui aurait pu advenir de lui pour s'être seulement comporté comme un être humain digne de ce nom? Venez, les enfants, finissons de déjeuner.

Tante Rachel prit les garçonnets par la main et marcha d'un pas déterminé vers la cuisine. Le chat orange miaula bruyamment à l'attention de Phoébée, puis les suivit.

— Je déteste cette guerre! cria Anne en se jetant sur une chaise. Quand des hommes comme Élieus Pickens ont le pouvoir de tout contrôler, tout va de travers. Rien n'est plus comme avant, maintenant. Les garçons sont tous partis se battre comme des idiots dans leur sacro-sainte guerre. Même cet imbécile de Gershom Lake est parti.

Elle éclata en larmes, essuya ses joues avec ses poings, renifla un bon coup et monta l'escalier en courant, oubliant, pour une fois, de s'assurer de son effet. Phoébée enroula ses bras autour de sa poitrine pour vaincre sa peur. « Que fera Déborah Williams avec ses cinq enfants pendant les nuits froides d'octobre ? C'est injuste », murmura-t-elle.

Cet après-midi-là, Phoébée fit ce qu'elle n'avait pas fait depuis très longtemps. Elle empaqueta du pain et de la viande dans un baluchon et partit passer quelques heures, seule, dans son ancienne maison. Le temps s'était réchauffé et il n'y avait quasiment pas de vent. Le trajet jusque chez elle – descendre la colline en suivant le ruisseau à la Truite, traverser la noue, prendre le canot de Gidéon caché dans les roseaux, pagayer jusqu'à l'autre rive du fleuve sombre et remonter la colline jusqu'à Hanovre – lui prit à peine une heure.

Pendant quelques minutes, elle se tint devant la porte en pensant à son père, et l'ennui la prit au corps. Quel rêveur avait-il été pour croire qu'il ferait un bon soldat, lui, un homme de lettres ?

Elle ouvrit la porte. Et figea sur place. Dans la pénombre de la pièce, elle vit un homme assis à la table, qui lui tournait le dos. En entendant la porte grincer, il se retourna vivement, un couteau à la main.

— Gidéon!

Phoébée s'affaissa.

— Ferme la porte, murmura-t-il. Pour l'amour de Dieu, ferme la porte.

— Gidéon?

Phoébée referma la porte derrière elle et s'avança en le regardant fixement, ébahie. Son cœur battait la chamade. Il lui était impossible de penser.

Gidéon remit le couteau dans sa gaine et fit quelques pas en direction de Phoébée.

— Je ne voulais pas te faire peur, Souris, dit-il dans un murmure rauque, mais si on devait me trouver ici, c'en serait fait de moi.

— Mais Gidéon, qu'est-ce...?

— Ne me demande rien, Phoébée. Oh! comme c'est bon de te revoir!

En deux enjambées, il fut devant elle. Il la prit dans ses bras et l'étreignit si fort qu'elle en criât. Il la remit sur ses pieds.

— Oh! Phoébée. Vous m'avez tellement manqué. Raconte-moi tout. Comment va mère? Et père? Anne? Les petits? Et Pauline, que se passe-t-il avec Pauline Grantham? Phoébée, est-ce qu'elle... a... voit quelqu'un d'autre?

— Non. Pauline a décliné les avances de Seth Andrews. Elle fuit la compagnie. Elle a peur : tout le monde au village est contre les Loyalistes. Seth est allé se battre avec les rebelles. Tout comme Gershom Lake, Éphraïm Lewis et le père Thatcher et ses fils. Sauf Jake, qui est allé rejoindre les forces britanniques. Tous les jeunes hommes du village sont partis. Nous, les filles, devons désormais nous occuper du bétail, des travaux de la ferme et des tâches domestiques.

— Oh ! Phoébée, dit Gidéon en gémissant. J'ai tellement envie de voir Pauline ou même de lui transmettre un petit message. Je sais que je ne devrais pas, mais...

Gidéon faisait les cent pas. Phoébée ne disait rien. Elle était encore en état de choc de l'avoir trouvé là. Et si tôt après le drame qui avait frappé Déborah Williams et ses enfants. Que faisait-il à Hanovre ? Il avait l'air si égaré. Et si changé. Il avait grandi, maigri. Plutôt maigri, oui. Voilà donc ce qui frappait, malgré tout, les soldats britanniques qui, selon la rumeur, étaient beaucoup mieux nourris que les rebelles affamés de l'armée américaine. Mais il y avait plus que cela. Le visage de Gidéon, qui avait toujours été clair comme un livre ouvert, était maintenant tendu et opaque. Et, chose curieuse, son cousin ne portait pas d'uniforme. Il était simplement vêtu de leggings et d'une chemise à franges en peau de daim, comme les hommes des bois, et, aux pieds, il portait des mocassins. Seuls ses cheveux tressés et attachés en une belle petite queue rappelaient le soldat qu'il était.

— Gidéon, demanda-t-elle timidement, es-tu toujours dans l'armée ?

— Oui... Oui, bien sûr, que je le suis, répondit-il en s'arrêtant face à elle. Mais ce n'est pas du tout ce que j'imaginais, ajouta-t-il avec une note d'amertume dans la voix. Les Britanniques nous méprisent, nous, les Loyalistes américains. D'après eux, nous sommes une bande d'ignares, de vulgaires hommes des bois. J'en suis arrivé à croire que le roi se soucie autant de nous que de sa dernière chemise. Si j'avais su...

Il se tut.

— Mais pourquoi es-tu habillé comme un homme des bois ?

— Dieu du ciel, Phoébée, ce serait courir à ma perte que de rôder dans les bois en uni-forme.

Soudain, Phoébée se rendit compte à quel point la pièce était froide et sombre.

— Gidéon, tu dois partir. Tu ne dois pas rester ici. Nous savons tous ce qui arrive aux soldats qui sont trouvés sans leur uniforme par leurs ennemis. Ils sont pendus ! Gidéon, pourquoi es-tu revenu ? Tu ne peux pas savoir à quel point les choses vont mal pour les Tories, par ici.

Et elle lui raconta l'épisode dramatique de Déborah Williams et de ses enfants.

— Et personne n'a levé le petit doigt pour les aider. Tout le monde a peur d'Élieus Pickens et de son comité. Va-t'en, Gidéon! Va-t'en!

— Je sais, soupira Gidéon qui se remit à arpenter la pièce. Je ne savais pas ce qui était arrivé aux Williams, mais je sais comment les Loyalistes sont traités, à peu près partout au Vermont et au New Hampshire. J'imagine que je devrais me réjouir de ne pas avoir demandé la main de Pauline. Personne ne lui fera de tort. Et vous êtes tous en sécurité grâce à l'allégeance de ton père. Ah! si cette guerre pouvait finir!

Sa voix se brisa. Il revint rapidement vers Phoébée.

— Pourrais-tu me rendre un service?

Il prit la main de Phoébée, qui en fut aussitôt alarmée. Elle savait que Gidéon s'apprêtait à lui demander quelque chose qu'elle ne voudrait pas faire mais qu'elle ferait sans doute. Ses épaules s'affaissèrent.

— Je veux que tu portes une lettre de ma part à Pauline Grantham.

Phoébée ne répondit pas tout de suite. Elle avait le terrible pressentiment que ce que son cousin lui demandait était dangereux et que cela lui nuirait certainement.

— Le ferais-tu pour moi, Phoébée?

Elle ne dit rien.

— Le feras-tu?

— Si je le fais, ne viens pas rôder près d'Orland et n'essaie pas de voir Pauline. Je prendrai la lettre et tu partiras d'ici, d'accord?

Son ton était suppliant alors qu'elle aurait souhaité qu'il fût ferme.

— D'accord. Je partirai.

Gidéon se dirigea aussitôt vers le bureau du père de Phoébée, dans le coin, près de la fenêtre. Là, il fouilla les divers compartiments jusqu'à ce qu'il y trouvât une feuille de papier et un bout de crayon de plomb.

L'après-midi était déjà bien avancé. Le jour tombait rapidement. Le peu de lumière qu'il y avait filtrait à travers les mois de poussière et de saleté accumulées sur la fenêtre. Gidéon n'était plus qu'une ombre penchée sur le bureau. Sa silhouette sombre et le sentiment de peur et de tristesse qui s'en dégageait rappelèrent à Phoébée une gravure qu'elle avait vue dans un des livres de son père: Thomas More rédigeant ses derniers mots dans son cachot de la Tour de Londres avant de se faire décapiter. Elle frissonna.

— Gidéon, n'écris pas cette lettre.

Elle se dirigea vers lui, mais il se retourna et lui mit le papier plié dans la main.

— Si tu portes ceci à Pauline, Souris, je te serai redevable le restant de mes jours.

Phoébée n'avait pas le cœur de lui refuser. Elle ne pouvait rien faire de plus pour lui et il voulait tant rejoindre sa bien-aimée.

— Attention, commença-t-il en la fixant d'un regard dur, ne vends pas la mèche. Personne, hormis Pauline, ne doit savoir que tu m'as vu. Personne. Pas même ma mère. Souviens-toi de ce que je te dis. Si les rebelles me trouvent, je suis un homme mort. Maintenant, je m'en retourne en forêt, chère petite Souris. Et merci, ajouta-t-il doucement.

Phoébée était si terrifiée à la pensée de ce qui pouvait lui arriver qu'elle ne put rien ajouter. Elle le serra dans ses bras et l'embrassa. Puis, le message à la main, elle le quitta.

Tout au long du trajet jusqu'à Orland, Phoébée fut tentée de lire ce que Gidéon avait écrit à Pauline. Mais elle ne put s'y abaisser : elle l'aimait trop pour cela. Néanmoins, lui avait-il donné rendez-vous quelque part, comme elle le craignait ? Avait-il pris ce risque ?

Quand elle arriva à Orland, la nuit était tombée. Il n'y avait personne en vue : personne pour la voir se faufiler jusqu'à chez les

49

Grantham au sommet de la colline, près du ruisseau ; personne pour la voir longer la maison jusqu'à la corde de bois où, par chance, Pauline ramassait des bûches ; personne pour voir l'échange furtif de mots et de papier ; et personne, finalement, pour la voir se glisser le long du chemin jusque chez les Robinson.

Quand Anne lui demanda, de fort mauvaise humeur, où elle était passée pendant tout l'après-midi, Phoébée lui dit qu'elle était retournée chez elle, sans rien ajouter d'autre.

— Tu m'as laissée seule avec Jédéas et Noé. Qu'est-ce qui t'a retenue jusqu'après le souper ? lui demanda Anne.

Phoébée esquiva la réponse en marmonnant qu'elle devait s'assurer que le feu dans l'âtre était éteint. Elle ne pouvait rien dire à Anne : elle l'avait promis à Gidéon. Toutefois, elle était déchirée de devoir cacher la présence de leur fils à Rachel et à Joshua Robinson, sachant que d'apprendre que leur aîné était en vie leur mettrait la joie au cœur et au visage.

Toute la soirée, elle tenta de se concentrer sur les passages de la Bible qu'oncle Joshua lisait à voix haute, mais elle ne put se sortir Gidéon de la tête. À présent, elle souhaitait avoir lu ce qu'il y avait dans cette lettre. Avait-il essayé de voir Pauline ? Il lui avait dit qu'il partait, mais – cela lui revenait à la mémoire

– il ne l'avait pas regardée dans les yeux. Soudain, elle fut certaine de ce qu'il s'apprêtait à faire.

La boule de peur logée dans sa gorge prit des proportions étouffantes. Elle avait besoin de toute sa volonté pour rester assise, pour ne pas se lever et crier à quelqu'un d'empêcher Gidéon de venir au village pour voir Pauline. Mais elle ne le fit pas. Elle demeura assise bien droite sur sa chaise et continua de tricoter, George, le chat orange, assoupi à ses pieds. Elle paraissait – enfin le souhaitait-elle – n'être habitée d'aucune pensée, sauf celles suggérées par la lecture de son oncle.

Plus tard, dans le grand lit, à côté d'Anne, incapable de trouver le sommeil, les paroles de Gidéon résonnaient sans fin dans sa tête tel un écho macabre : « Si les rebelles me trouvent, je suis un homme mort. »

L'aube venait à peine de se lever lorsqu'on frappa à la porte. Tante Rachel alla ouvrir : c'était Billy Wilder. Sa plainte aiguë à peine audible perça le silence de la maison.

— Oh… oh… oh… m-m-maîtresse, i-i-ils l'ont pendu… Oh… oh… oh… oh !

Tante Rachel le fit entrer et voulut le faire asseoir, mais Billy ne faisait qu'articuler des paroles incompréhensibles et lui tirer la main pour qu'elle le suivît. À la fin, elle s'arracha à la poigne du jeune homme et le laissa avec

51

son mari, pendant qu'elle allait s'habiller. Quelques instants plus tard, toute la famille – tante Rachel, oncle Joshua, Anne, son châle pendant derrière elle, et les deux garçonnets encore à moitié endormis – suivait en courant la silhouette hurlante, qui se dirigeait à toute vitesse vers la place du village.

Seule Phoébée resta derrière. Elle savait. Au moment où elle avait entendu la voix de Billy, elle avait su. En le regardant du haut des marches, son sang s'était glacé et elle avait eu un étourdissement.

Un grand calme l'enveloppa soudain. Méthodiquement, presque cérémonieusement, elle mit sa chemise, son jupon, sa jupe, sa blouse et son gilet chaud. Elle enfila ensuite ses bas et glissa ses pieds dans ses chaussures. Elle brossa et tressa ses cheveux, puis s'enveloppa dans son châle et marcha lentement vers la place.

Sous l'arbre de la liberté, elle aperçut la masse sombre des villageois, rassemblés dans la lumière du petit matin. Les membres du clan Robinson étaient regroupés devant eux. À environ trois mètres du sol, une corde avait été jetée par-dessus une grosse branche. Le corps de Gidéon y pendait, sans vie. Sur le message épinglé à sa chemise, on pouvait lire : « Mort aux traîtres et aux espions. »

3

Le message

Le message épinglé à la chemise de Gidéon flottait dans la brise matinale. Derrière Phoébée, quelqu'un hurla. Une pluie de coups de poing s'abattit sur son dos. Les hurlements se rapprochèrent si près de ses oreilles qu'elle ne distingua pas les mots qu'ils dissimulaient. Elle pivota. Le visage d'Anne était rouge et convulsé, ses yeux étaient grands ouverts, et sa voix était très haut perchée. Ses poings atteignirent Phoébée au visage.

— C'est toi qui as fait ça ! Toi, ton père et ses amis rebelles ! C'est vous ! C'est toi ! Misérable traîtresse ! Tout est ta faute !

Anne criait de plus en plus fort et frappait sa cousine au visage, à la poitrine, aux bras. Phoébée était si stupéfaite qu'elle ne parait même pas les coups. La voix perçante, quasi inhumaine, persistait :

— C'est toi qui as fait ça ! C'est toi ! Va-t'en d'ici et ne reviens jamais ! Va-t'en ! Disparais !

Quelqu'un arracha Anne à sa victime. Phoébée releva la tête. Elle regarda sa cousine et les personnes qui l'entouraient avec un sentiment de distance tel qu'il lui sembla ne les avoir jamais vues auparavant. La grande femme debout, droite et immobile, le visage gris comme les cendres ; l'homme frêle et tremblant accroché à sa manche ; les petits garçons, leurs visages d'une pâleur mortelle levés vers le corps pendu à l'arbre ; la jeune femme hurlante et déchaînée, maîtrisée par les bras forts d'une tierce personne ; et la foule silencieuse derrière eux. Un sanglot destructeur monta en elle.

Comme si la vengeance divine la poursuivait, elle partit en courant et ne s'arrêta que lorsqu'elle fut au bord du fleuve. Là, elle se jeta au pied du gros saule. Des sanglots puissants et douloureux la secouèrent jusqu'à épuisement. Ensuite, elle rampa jusqu'à la berge, éclaboussa plusieurs fois son visage et s'abreuva d'eau froide et claire. Elle inspira profondément, et un frisson la parcourut de haut en bas. Enfin, elle s'assit sur la rive et essaya de digérer les derniers événements, mais cela lui fut impossible tant elle était obnubilée par le souvenir du corps de Gidéon pendant à l'arbre de la liberté.

« Si seulement j'avais refusé de porter la lettre à Pauline Grantham, murmura-t-elle *ad nauseam*, en se balançant d'avant en arrière, dans une agonie d'affliction et de culpabilité. Je savais que c'était imprudent. Il me l'avait dit lui-même : "Si les rebelles me trouvent, je suis un homme mort." Oh ! Gidéon ! »

Elle posa sa tête sur ses genoux et se remit à pleurer.

Le temps passa et, petit à petit, elle reprit contact avec les bruits de la vie autour d'elle : le léger gazouillis des fringillidés et des mésanges à tête noire, le doux clapotis de l'eau sur les berges du fleuve, le bavardage insistant d'un écureuil et le croassement des corbeaux. Elle releva la tête : le soleil était très haut dans le ciel. La forte brise balançait les branches souples des saules et charriait une odeur de poisson. Phoébée prit conscience qu'elle avait froid. Elle s'assit sur ses pieds et essuya les larmes qui barbouillaient son visage avec la manche de sa chemise. Elle regarda le gros écureuil gris assis sur une branche basse. Il remuait sa queue en tous sens et grondait furieusement.

« Bonjour, Constance ! lui lança Phoébée en soupirant. Pourquoi me réprimandes-tu ? Il n'y a plus rien qui puisse te gêner dans ta maison. Plus maintenant. Regarde, je vais te montrer. »

Elle introduisit sa main dans le creux du saule. Ses doigts touchèrent un objet qui n'avait rien à voir avec la réserve de noix de Constance. Surprise, elle s'en empara. C'était un minuscule paquet de soie, assez petit pour se loger dans une coquille de noix. Elle réinséra sa main dans le creux et y tâtonna. Il y avait un autre bout de papier. Sur celui-ci, un message était écrit au crayon de plomb : « Si je suis pris, portez ce message au Mohawk Élias Brant à Hanovre. » Et c'était signé : G.

Pendant un bon moment, Phoébée tourna et retourna le petit paquet dans ses mains. « Assez petit pour se loger dans une coquille de noix », dit-elle tout haut.

Ou encore – l'idée lui vint promptement – dans les cheveux d'un homme. Et sa mémoire lui rejoua la scène du jour où Gidéon était parti fièrement rejoindre un régiment loyaliste. Le soleil avait brillé sur ses cheveux bruns noués sur la nuque en une petite queue à l'aide d'un ruban noir. Maintenant, l'idée que le minipaquet qu'elle tenait dans ses mains en sueur eût pu y séjourner se précisait dans sa tête. À cet instant précis, elle découvrit ce dont elle aurait dû s'apercevoir hier (hier, seulement?) : Gidéon portait des leggings en peau de daim et non un uniforme. « C'était un espion, murmura-t-elle. Oui, c'est ça. Oh! Gidéon, pourquoi es-tu venu jusqu'ici? »

Elle connaissait très bien la réponse. Quelle qu'eût pu être sa mission et où qu'il eût dû se rendre, il n'avait pu résister à l'envie de faire un détour pour voir sa Pauline.

Phoébée baissa les yeux et observa le minuscule paquet à travers ses yeux embués de larmes. Sans réfléchir, elle le déficela, puis, les doigts tremblants, l'ouvrit. Il contenait deux feuilles de papier pelure. Celle du dessus était un message adressé au brigadier général Watson Powell au Fort Ticonderoga (New York). Un pur galimatias! Phoébée le regarda, interdite. Puis elle jeta un coup d'œil à la deuxième feuille, écrite celle-là en langage courant : « S'il vous plaît, offrez protection à ces trois familles de New York, habitant au sud de Skenesborough, près de Wood Creek : les familles des soldats loyalistes Jethro Colliver, Septimus Anderson et Charles Morrissay. » Et c'était signé d'une initiale que Phoébée ne put déchiffrer. Dans une sorte de transe, elle fixa tour à tour les deux pages.

Elle relut la seconde. Étudia la première. Puis comprit. « C'est un message codé. »

Elle regarda furtivement aux alentours de peur d'avoir été entendue. Elle replia rapidement les deux feuilles comme elle les avait trouvées et les remit dans leur enveloppe.

Que devait-elle faire de ces lettres ? Ne voulant être liée d'aucune façon au message qui avait causé la mort de Gidéon, elle pensa les déchirer en mille morceaux et les jeter dans le fleuve, mais les mots « protection » et « familles » jaillirent dans sa tête et l'en empêchèrent. Elle se remémora Déborah Williams et ses enfants.

« Je ne peux pas laisser ces familles à un sort aussi cruel. Je ne peux pas. Je dois porter ce message à Élias Brant », pensa-t-elle. Mais elle se souvint que Brant avait quitté Hanovre. Comme tous les jeunes Mohawks à qui son père avait enseigné, il était parti joindre les rangs britanniques. Elle avait entendu Gershom Lake et John Barber en parler devant la boutique de forge, un soir qu'Anne et elle rentraient à la maison, après une journée passée à piquer des courte-pointes chez maîtresse Shipley.

— Tu peux pas t'attendre à c'que les Indiens soient loyaux, disait Gershom, qui leur avait fait une moue méprisante alors qu'elles passaient devant lui. Mais laisse faire les Sauvages, avait-il ajouté en regardant Anne de travers. C'est les autres, le problème. Ceux qui ont des frères qui s'battent pour les Tuniques rouges[4]. M'est avis qu'ils sont mieux d'avoir des amis du bon côté d'la guerre.

Anne avait relevé la tête et reniflé fièrement, et les deux cousines avaient poursuivi leur route. Phoébée avait alors pensé à Peter Sauk, l'étudiant mohawk qui l'appelait Petit Oiseau et qui lui avait donné des mocassins confectionnés par sa mère. Elle s'était demandé si Peter et Gidéon faisaient partie du même régiment, s'ils étaient amis.

En l'absence d'Élias et de Peter, à qui remettrait-elle le message? À tante Rachel? Que pourrait-elle en faire? La seule réponse qu'elle reçut à ses questions fut le bruit de Constance l'écureuil grignotant une faîne qu'elle tenait fermement entre ses pattes.

«C'est ma faute. Jamais je n'aurais dû porter cette lettre à Pauline. Jamais. Je savais, je savais qu'il voulait la voir», dit-elle, bouleversée, appuyant sa tête sur ses genoux.

Le temps passa et la tempête, aussi.

«Bon, je porterai moi-même ce message au Fort Ticonderoga.» Elle renifla et s'assit bien droite. «Mais le Fort Ticonderoga se

---

4. N.D.L.T. Appellation familière pour désigner l'armée britannique dont les soldats portaient des manteaux (tuniques) rouges.

trouve par-delà les montagnes. De l'autre côté du lac Champlain. Dans la province de New York. Je ne peux pas y aller. »

Du dedans d'elle, les mots surgirent : « Oui, tu peux. Tu peux pour Gidéon. Tu peux pour montrer à Anne que tu n'es pas une traîtresse. » « Je ne suis pas une traîtresse ! cria Phoébée, en réponse à cette voix. Je ne suis ni rebelle ni loyaliste. Je ne sais pas ce que je suis. Devrais-je être pour la rébellion juste parce que papa l'était ? Oh ! papa ! Pourquoi fallait-il que tu partes comme ça ? Et maintenant Gidéon ! »

Elle éclata en sanglots. Les larmes roulaient sur ses joues, descendaient le long de son cou et allaient mourir dans le col de sa chemise.

« Je ne sais pas ce que je suis et je ne peux pas traverser les montagnes toute seule. »

« Que feras-tu, alors ? » lui demanda la voix.

« Je ne sais pas », répondit-elle.

L'argumentation se poursuivit ainsi en pensée jusqu'à ce qu'elle posât de nouveau sa tête sur ses genoux et qu'elle s'endormît aussi subitement.

Quand elle se réveilla, le soleil se couchait. Elle se souvint de tout. Le froid la fit frissonner, mais elle se sentit apaisée. Pendant son sommeil, sans trop savoir comment, elle avait pris une décision. Elle savait ce qu'elle devait faire. Elle sauta sur ses pieds, retroussa sa jupe et mit le message dans sa pochette. Ensuite, elle défroissa ses vêtements avec ses mains et refit sa tresse. Elle lava son visage à l'eau du fleuve et en but plusieurs gorgées. Puis, avec une détermination nouvelle dans chacun de ses gestes, elle se dirigea vers le canot de Gidéon, le poussa à l'eau et entama la traversée du fleuve.

De retour à la maison de Hanovre, elle chercha la carte du New Hampshire et du Vermont qu'un des étudiants de son père avait dessinée pour elle, un jour. Il avait voulu lui montrer d'où il venait, au bord de la rivière Oignon, près du lac Champlain, et comment il avait voyagé jusqu'à Hanovre en suivant la route militaire qui partait du lac et traversait les montagnes jusqu'au fleuve Connecticut. Elle l'avait conservée dans l'un des petits compartiments du bureau de Jonathan Olcott. Toutefois, la carte n'était plus là. Elle ne trouva qu'une boîte d'amadou oubliée par son père. Elle la prit. Soudain, l'idée lui vint que la carte avait probablement servi à Gidéon pour écrire sa lettre. Elle fouilla dans sa pochette et s'empara du bout de papier sur lequel il avait rédigé à toute vitesse la note laissée dans l'arbre creux. En effet, au dos de la missive se trouvaient les lignes dessinant l'endroit où la rivière Blanche se jetait dans le fleuve Connecticut et la partie extrême-orientale de la route militaire. Elle la regarda, la mort dans l'âme.

Elle fouilla le bureau de fond en comble, regarda dessus, dessous, autour, et partout dans la pièce, mais l'autre moitié de la carte restait introuvable.

«Qu'est-ce que je fais, maintenant?» se demanda-t-elle à voix haute, comme si elle espérait que quelqu'un lui apparût par miracle pour lui souffler la réponse.

Et le miracle se produisit. La voix de Gidéon se fit entendre dans sa tête, aussi claire et sûre qu'elle l'avait été ce jour-là, dans la forêt, il y a bien longtemps, quand elle lui avait demandé où commençait le ruisseau à la Truite : «Phoébée, si tu veux traverser les montagnes, tout ce que tu as à faire, c'est de suivre notre ruisseau vers l'ouest, car c'est là qu'il prend sa source. Tu dois le suivre durant toute une journée et tu arriveras au lac Champlain.» Et il avait éclaté de rire.

«Et maintenant, j'irai au lac Champlain.» Phoébée prononça ces mots très doucement, comme pour en faire la promesse à Gidéon, encore si vivant dans cette pièce qu'il arpentait la veille encore.

Elle ne pleura pas. Il ne lui restait plus de larmes. Un calme l'avait enveloppée – pas le calme froid qu'elle avait ressenti lorsque la certitude de la mort de Gidéon était venue à elle, mais le calme rassurant d'une détermination absolue. Elle savait ce qu'elle allait faire et comment elle le ferait. Elle souhaita partir immédiatement, sans avoir à retourner chez les Robinson. Elle ne voulait pas mentir à tante Rachel ni lui parler du périple qu'elle allait entreprendre : elle voudrait sûrement l'en empêcher. De plus, elle ne voulait pas être confrontée à Anne. Mais elle avait besoin de la grande cape chaude de sa mère et de quelque chose à manger. Phoébée laissa planer son regard une dernière fois autour de la pièce, sortit et ferma délicatement le loquet derrière elle.

4

Être brave

Le crépuscule épaississait à vue d'œil. Les dernières lueurs du couchant semblaient suspendues au-dessus des collines vert sombre, de l'autre côté du fleuve. Quand Phoébée descendit la colline de Hanovre, la lune n'avait pas encore montré son beau visage rond. Il était tombé une neige fine et le vent se levait. Tenant fermement son châle, elle accéléra le pas afin de se réchauffer et de couvrir les bruits de pas des animaux sauvages sur les feuilles. Le roucoulement des pigeons et la plainte de l'engoulevent ne l'effrayaient pas, mais l'idée même des loups et des chats sauvages la faisait frissonner. À mi-descente, une brindille craqua derrière elle. Quelqu'un la suivait. Elle courut jusqu'au bas de la colline, sauta dans le canot et s'éloigna de la rive à grands coups de pagaie.

Quand elle fut à une distance raisonnable, elle cessa de pagayer et s'obligea à regarder derrière elle. Personne n'était en vue. Seules les branches des aulnes et des saules se balançaient au vent. Assise sur ses talons, elle se reposa et se laissa porter par le courant jusqu'à ce qu'elle réalisât qu'elle serait bientôt à plus d'un kilomètre en aval si elle ne se remettait pas à ramer.

Elle fixa l'eau noire et profonde. Elle sursauta et faillit en perdre sa pagaie lorsqu'un castor claqua sa queue sur l'eau, quelque part le long des berges. Comment pourrait-elle faire face à une nature sauvage et inconnue si elle s'effrayait si aisément de celle qu'elle connaissait si bien?

«Je devrai être brave, murmura-t-elle à la nuit. Très brave.»

Pourtant, Phoébée ne s'était jamais sentie courageuse. Jamais elle ne s'était aventurée par-delà la route reliant Hanovre à Orland, pas plus qu'elle n'avait parcouru de grandes distances en forêt avec Gidéon pour l'aider à cueillir ses plantes.

Elle enfonça résolument sa pagaie dans l'eau. Lorsqu'elle atteignit l'autre rive, elle tira le canot près des saules, se demandant, le cœur serré, quand elle referait ce geste. Elle grimpa la colline en suivant le ruisseau, et marcha sans bruit le long de la route qui menait à la place du village où elle s'arrêta. Elle n'arrivait pas à faire un pas de plus, à passer près de l'arbre où Gidéon avait été pendu.

Le corps de Gidéon. Elle avait oublié le corps de Gidéon. Il serait exposé dans le salon des Robinson. La famille serait réunie pour prier. Elle ravala les larmes chaudes qui lui montaient aux yeux. Elle voulait à la fois veiller le corps avec eux, et s'enfuir et ne jamais revenir dans ce village de misère et de chagrin. Mais ni l'un ni l'autre n'était possible. Confier son plan à tante Rachel et aux autres était aussi impensable que les quitter sans leur dire au revoir. Et, par-dessus tout, elle devait prendre un manteau chaud et de la nourriture. De la nourriture. Elle n'avait rien avalé depuis la veille au soir, alors qu'elle avait à peine touché à son assiette, trop bouleversée par la lettre qu'elle venait de porter à Pauline Grantham.

Soudain, les poils de sa nuque se hérissèrent. Elle se figea. Une silhouette sombre se déplaçait à travers les arbres, de l'autre côté de la place. Il y avait quelqu'un. Elle en était sûre. Il faisait maintenant si noir qu'elle distinguait à peine un arbre d'un autre, mais elle voyait clairement une paire d'yeux brillants. Au loin, le ruisseau à la Truite murmurait en descendant la colline.

— Il y a quelqu'un ? demanda Phoébée à voix basse.

Personne ne répondit. Elle frissonna, jeta un regard autour et resserra son châle sur ses épaules. Elle contourna la place, ne regardant qu'une seule fois par-dessus son épaule, et suivit la route jusqu'à la maisonnette de maîtresse Shipley. De là, elle se glissa derrière la rangée de maisons et longea les murs jusqu'à la porte arrière des Robinson. Seul Quincy, le vieux chien de Moïse Litchfield, la vit passer. Il grogna une fois, mais se calma au son de la voix de Phoébée, familière à ses oreilles canines.

Elle se laissa tomber avec reconnaissance sur le seuil de pierre recouvert d'une fine couche de neige. Quelques secondes plus tard, elle sentit des petits coups impatients sur sa hanche : c'était le chat. George avait mauvais caractère, était très exigeant et n'appréciait personne. Seule Phoébée pouvait le nourrir. Toutefois, jamais auparavant ne s'était-il assis à ses côtés. Elle avança sa main pour le flatter. Le félin émit un miaulement agacé, mais ne bougea pas et se laissa caresser par la jeune fille. La fatigue, la faim, le chagrin et la peur avaient donné à Phoébée un mal de tête carabiné. En silence, elle souleva le loquet et pénétra dans la maison.

Il n'y avait personne dans la cuisine, et l'unique source de lumière provenait du feu dans le grand foyer. Son odeur âcre et familière l'accueillit. Les restes du souper avaient été abandonnés sur le buffet. Phoébée se tailla un morceau de jambon à l'aide du couteau à éplucher qui traînait sur le bord de l'assiette, et une tranche de johnnycake[5] qu'elle reposa au bout de deux bouchées.

Elle retira ses souliers et marcha sur la pointe des pieds jusqu'à l'escalier. Elle ne voulait pas aller au salon, ne voulait pas regarder dans cette pièce. Mais George la trahit. Il l'avait suivie de si près qu'elle lui marcha malencontreusement sur une patte. Il poussa un cri aigu.

— C'est toi, Phoébée ?

Tante Rachel apparut dans le cadre de porte. Pendant un moment, elles se tinrent là, immobiles, Phoébée prête à poser un pied sur la première marche, et tante Rachel, debout, son visage gris cendre à l'aspect fantomatique derrière la flamme vacillante de la bougie.

— Où étais…, commença-t-elle.

---

5. N.D.L.T. Pain de maïs d'origine américaine.

— J'étais…, commença Phoébée à son tour.

Elles stoppèrent toutes deux.

— Ça ne fait rien, dit tante Rachel. Tu es ici, maintenant. Viens.

Elle prit Phoébée par la main, et la jeune fille dut suivre sa tante au salon.

Là, sous la fenêtre avant, posée sur des chevalets de scie et baignée d'une forte odeur de bois frais, se trouvait la caisse oblongue. Phoébée se demanda quel villageois avait été assez hardi pour fabriquer le cercueil d'un soldat loyaliste. À chaque bout de la bière brillait une chandelle, fichée dans les plus beaux chandeliers d'étain de tante Rachel. Le corps de Gidéon y reposait, enveloppé dans un linceul. L'espace d'un instant, Phoébée voulut arracher le blanc tissu et regarder une dernière fois le visage de son cousin, mais le terrible souvenir du visage convulsé qu'elle avait vu le matin même l'en empêcha. Elle pressa si fort la main de tante Rachel que cette dernière la retira vivement et passa son bras autour des épaules de sa nièce.

Oncle Joshua se tenait à une extrémité du cercueil. La tête inclinée, il lisait des passages de la Bible à voix basse et régulière. Phoébée s'agenouilla et pria. Elle tenta d'abord d'écouter les oraisons de son oncle, mais, comme elle n'y arrivait pas, elle demanda elle-même à

Dieu d'être doux avec ce jeune homme qui avait tant aimé Son monde. Voilà tout ce que contenait sa prière. Combien Gidéon avait chéri les plantes et les animaux des bois! Combien il avait eu de l'intérêt pour eux et leur mode de vie! De concert avec tante Rachel, elle récita ensuite une prière pour le repos de l'âme de Gidéon. En silence, elle lui promit une fois de plus qu'elle achèverait son travail, qu'elle porterait le message au Fort Ticonderoga.

Phoébée se releva et sentit une présence nouvelle dans la pièce. Elle crut d'abord que c'était Anne, et se raidit, prête à lui faire face. Toutefois, en s'avançant dans le halo d'une bougie, elle vit que c'était Pauline Grantham. Phoébée alla se placer à ses côtés. Les deux jeunes filles se regardèrent, mais ni l'une ni l'autre ne dit mot, sachant qu'elles partageaient un terrible secret. Phoébée détacha ses yeux du regard douloureux de Pauline, prit sa main, la serra brièvement et sortit de la pièce.

Elle monta l'escalier à l'aveuglette et marcha jusqu'à la chambre qu'elle partageait avec Anne. Dans l'âtre, le feu s'était éteint, et seul le rougeoiement des braises éclairait encore la pièce. Elle marcha sur la pointe des pieds jusqu'à l'armoire encastrée, à côté de la cheminée. Elle y prit ses mocassins et la grande cape de laine de sa mère. La lueur des braises réfléchit sur le fermoir argenté et Phoébée eut une vision fugitive d'elle, petite, jouant à l'ouvrir et à le fermer. Pour vaincre l'ennui que ce souvenir avait ravivé, elle ferma un instant les yeux. Puis, résolue, elle referma l'armoire. Une charnière émit un grincement. Anne se réveilla.

— Qui est là ?

Sa voix était ensommeillée. Elle s'assit dans le lit. Phoébée se figea et attendit. Après une minute ou deux, Anne se tourna sur le côté et se rendormit. Phoébée sortit sur la pointe des pieds. Dans la chambre d'à côté, l'un des garçonnets cria. Quand le silence fut de nouveau maître des lieux, Phoébée redescendit à la cuisine. Elle s'empara du couteau à éplucher pour se couper du jambon, puis regarda le morceau qu'elle s'était taillé un peu plus tôt. La vue et la senteur de la nourriture lui enlevèrent soudain tout appétit. Elle chaussa ses mocassins, se drapa dans la cape de sa mère sans pour autant quitter son châle, dit au revoir à George, fit des yeux le tour de la pièce une dernière fois et se glissa au-dehors.

De la même façon qu'elle était venue, elle évita le chemin du village en passant derrière les maisons et à travers les cours des fermes pour finalement atteindre le ruisseau bouillonnant et bondissant, qui miroitait à la lueur des étoiles et du croissant de lune. Oh ! comme elle souhaitait le suivre jusqu'au bord du fleuve et se rendre à sa maison de Hanovre, fermer la porte derrière elle et ne plus jamais en ressortir. Mais elle en avait décidé autrement. Elle regarda le ruisseau.

« C'est lui que Gidéon m'a dit de suivre, murmura-t-elle. Il a dit de suivre le ruisseau vers l'ouest et c'est ce que je ferai. » Elle se tourna alors vers l'occident, vers le sommet de la colline et entama son périple.

5

Seule

Le Fort Ticonderoga se trouvait sur la rive du lac Champlain, à plus de quatre-vingts kilomètres du fleuve Connecticut, par-delà une forêt dense et de hautes montagnes. Pour un homme fort, en forme et connaissant bien les bois, c'était un voyage d'au moins une semaine. À presque quinze ans, Phoébée avait beau être costaude, elle était tout de même de taille moyenne et plutôt rondelette. Et qui plus est, elle n'était jamais allée plus loin qu'Orland depuis qu'elle était arrivée à Hanovre, à l'âge de neuf ans. Toutefois et parce qu'elle l'adorait, elle avait écouté les discours intarissables de Gidéon sur la vie en

75

forêt, tout comme elle avait suivi avec intérêt les récits enthousiastes des étudiants amérindiens de son père lorsqu'ils parlaient de la vallée de la rivière Mohawk (New York) d'où ils venaient.

Aujourd'hui, à l'aube d'un périple de quelques semaines à travers des terres sauvages peuplées de bêtes féroces, Phoébée souhaitait être une chasseuse expérimentée et, surtout, avoir écouté plus attentivement son cousin lorsqu'il l'entretenait des plantes des forêts. Car l'hiver approchait.

À mi-pente d'une colline abrupte, Phoébée trébucha sur une racine saillante au bord d'un point d'eau, miroitant au clair de lune. À sa grande consternation, elle s'aperçut que le ruisseau à la Truite s'arrêtait là, dans cette dépression. Son voyage à peine entamé, elle en atteignait déjà le bout. Dans sa tête lourde de fatigue, elle réentendit la voix de Gidéon : «Tu dois suivre le ruisseau durant toute une journée et tu arriveras au lac Champlain. » Et il avait ri. Jusqu'à présent, elle n'avait pas considéré que ce rire eût pu être significatif. Gidéon savait fort bien que le ruisseau à la Truite ne se déversait pas dans le lac Champlain. Bien sûr qu'il le savait ! Ce qu'elle avait pu être stupide ! Maintenant, ses pieds étaient trempés, et elle grelottait sous la doublure en fourrure de sa cape. Elle avait couru, rampé, trébuché et tombé dans le ruisseau si souvent qu'elle n'en tenait plus le compte. À quelques reprises, il lui était arrivé de perdre le petit cours d'eau de vue parce que la faible lumière de la lune n'atteignait pas le sous-bois tant la forêt était dense. Puis, soit son oreille avait reconnu le murmure familier, soit elle y avait tout simplement glissé.

Phoébée s'affaissa près du bassin d'eau claire. «Oh! Notre Père qui êtes aux cieux, gémit-elle, je vais sûrement périr de froid et de faim ou être dévorée par un loup ou un lynx.»

Soudain, près d'elle, les feuilles d'un buisson bruissèrent. Elle s'assit toute droite. De peur, les poils de sa nuque se hérissèrent. Le bruissement s'amplifia. La tête d'un gros chat domestique émergea du buisson. Phoébée le fixa, ébranlée mais soulagée. «George?»

Dans la nuit, les yeux du matou brillaient comme deux charbons ardents. Il n'avança pas, mais Phoébée le reconnut immédiatement par son mouvement offensif caractéristique. «George, que fais-tu ici?» Elle tendit la main dans sa direction. Il grimpa aussitôt à un arbre, se percha sur une branche et lui tourna le dos. «Reste là, si tu veux. Je suis bien trop fatiguée pour monter te chercher.»

Elle se coucha, roula son châle en boule, le coinça sous sa tête, tira sa cape sur elle et s'endormit, bercée par le doux murmure du ruisseau.

Elle s'éveilla plusieurs heures plus tard. Devant ses yeux, un rayon de soleil éclairait un tas de feuilles mortes et un tamia rayé qui se tenait sur ses pattes de derrière, figé de peur. À quelques centimètres de là, George, tapi, se préparait à l'attaque. D'un geste vif, Phoébée attrapa le petit suisse. Furieux, le chat orange fouetta le sol de sa queue. L'espace de quelques instants, on eût dit qu'il allait bondir sur Phoébée, mais il partit avec l'air du chasseur frustré. La jeune fille flatta le dos du tamia, le long de ses rayures noires. « Je pense que ça va aller, maintenant », lui murmura-t-elle. Elle libéra le petit rongeur, qui s'enfuit, bondit avec agilité sur un tronc mort, émit des petits cris courroucés dans sa direction puis disparut.

Phoébée se leva et trouva un endroit pour uriner. Ensuite, elle se lava le visage et les mains dans le bassin, puis, joignant ses mains en coupe, but plusieurs gorgées d'eau glacée. Elle secoua sa cape et son châle et les étendit par terre, remarquant au passage un accroc à la jupe de sa robe. Elle s'assit et retira mocassins et chaussettes. Elle se félicita d'avoir choisi ses chaussures amérindiennes plutôt que ses souliers de tous les jours. «Pour la marche en forêt, c'est bien mieux : ils vous font le pied sûr et sont plus silencieux», avait dit Gidéon lorsque Peter Sauk les lui avait offerts en remerciement des nombreux soupers qu'il avait pris chez elle.

Le souper. Alors qu'elle étendait ses chaussettes sur un buisson pour les faire sécher, Phoébée réalisa qu'elle avait très faim. Elle souhaitait tellement avoir emporté le jambon et le johnnycake qui l'avaient tant dégoûtée dans la cuisine de tante Rachel. Qu'allait-elle faire ? Elle devait s'alimenter coûte que coûte. Elle regarda aux alentours comme si un garde-manger bien garni allait soudain apparaître à travers les arbres.

«C'est peine perdue, pensa-t-elle. Je vais devoir retourner.»

Retourner. C'était une idée à la fois formidable et épouvantable. Anne serait peut-être déjà désolée de l'avoir frappée et insultée. Ses crises d'hystérie ne duraient jamais longtemps. Tante Rachel aurait besoin d'aide avec les garçons. Et le chagrin serait plus supportable en présence de ceux qui, comme elle, avaient aimé Gidéon. Cependant, si elle rebroussait chemin, elle laisserait tomber son cousin et ne se rachèterait jamais d'avoir porté la lettre à Pauline Grantham. Et ces familles

dont les noms se trouvaient sur la liste per-
draient tout. Non, elle ne pouvait pas retourner.

« Je dois manger, se dit-elle, l'estomac
creux et douloureux, et je dois m'organiser. »
Elle s'appuya au tronc d'un arbre et fit le
point sur sa situation. Il n'y avait pas grand-
chose à évaluer. Elle n'avait pas plus de provisions et d'ustensiles de cuisine que de vêtements
de rechange. Elle n'avait pas non plus de
carte pour s'orienter. Elle n'avait que deux
choses : la boîte d'amadou trouvée dans le bureau de son père et – ô miracle ! – le couteau
à éplucher de tante Rachel qu'elle tenait fermement dans sa main depuis qu'elle avait
quitté Orland. Pendant toutes ces longues
heures passées à remonter le ruisseau à la
Truite, elle ne l'avait jamais lâché. Il avait
reposé à côté d'elle durant son sommeil et se
trouvait encore là, sur le sol, où elle l'avait
laissé. Elle s'avança et le prit.

« J'ai un couteau ! cria-t-elle. Et avec un
couteau, je peux fabriquer un hameçon. Et
avec un hameçon, un bâton et une tige de
plante grimpante, je peux attraper du poisson. »

Large et profond, le bassin était alimenté
par des veines d'eau, ruisselant de la paroi
rocheuse, et s'écoulait en cascade sur les
roches pour devenir le ruisseau à la Truite. Et
il y avait du poisson. De la truite, évidemment. Aussitôt que l'idée lui vint d'en attraper,

Phoébée les aperçut, nageant dans l'eau profonde ; elle se demanda pourquoi elle ne les avait pas remarquées plus tôt. Telles des ombres, les truites se déplaçaient dans les caves et les passages rocheux du bassin d'eau claire. Phoébée les avait toujours trouvées magnifiques avec leurs écailles rouges, vertes et argentées, scintillant comme des bijoux. C'était dommage qu'elle dût en attraper une. Comme elle avait très faim, elle se mit immédiatement au travail et bricola un hameçon et une canne à pêche. Ce fut simple et rapide et, bientôt, elle pêchait au bord de l'eau.

En l'espace de quelques minutes, sa première petite truite frétillait sur le sol. Puis elle en captura trois autres presque d'un coup. Elle ramassa rapidement des brindilles et des feuilles et, à l'aide du silex et du briquet[6] qui se trouvaient dans sa boîte d'amadou, elle alluma un feu. Ensuite, elle empala les poissons sur un bâton, qu'elle posa sur deux supports de bois de chaque côté des flammes. En cuisant, les truites dégageaient une odeur si appétissante que Phoébée ne put résister : elle les dévora noires à l'extérieur et crues à l'intérieur, crachant plus d'arêtes qu'elle ne mangea de chair. Malgré cela, elle se sentit

---

6. N.D.L.T. Pièce d'acier dont on se servait anciennement pour tirer du feu d'un caillou.

vite mieux et eut moins froid. Elle était prête à reprendre la route.

« Si le soleil n'était pas si bas et les arbres si hauts, grogna-t-elle, je pourrais au moins voir où il se trouve. Là, je saurais où se situe l'ouest. »

Et comme s'il avait été là, à côté d'elle, elle entendit de nouveau la voix de Gidéon – tel un écho du passé – qui lui expliquait : « Dans les bois, quand on ne sait plus où on est, on doit trouver de la mousse. Tu vois, Phoébée, la mousse pousse toujours sur le côté nord de l'arbre, à l'abri du soleil. À l'opposé, les araignées préfèrent le côté sec, soit le côté sud. Quant aux pics, et particulièrement les grands pics, ils frappent toujours le côté est de l'arbre avec leur bec. On dirait qu'ils aiment le soleil du matin. »

Elle s'était moquée de lui. « Il n'y a pas de soleil au plus profond des bois, Gidéon. »

« Oh ! que si, l'avait-il assurée. Il y a de l'ombre et de la lumière dans la forêt. Si tu connais les plantes qui cherchent la lumière et celles qui la fuient, tu peux aisément retrouver ta direction si tu viens à te perdre. La forêt est facile à lire, Phoébée. Il faut seulement apprendre son langage. » Il lui avait fait répéter ce qu'il venait de dire. « Parce que tu sais, Souris, avait-il ajouté en souriant, si, un jour, tu es assez courageuse pour t'aventurer dans les bois, tu t'y perdras certainement.»

Phoébée secoua la tête pour reprendre contact avec la réalité. Elle regarda autour d'elle et vit les rayons du soleil filtrer à travers les pins vert sombre, les mélèzes aux reflets dorés et les branches nues des feuillus. Elle tendit l'oreille et entendit des pics frapper l'écorce de leur bec conique et les geais s'appeler les uns les autres en chantant.

Phoébée enfila ses chaussettes et ses mocassins, même si l'air froid ne les avait pas complètement séchés, et marcha lentement autour des arbres, faisant craquer le sol couvert de feuilles sèches. Elle inspecta minutieusement les écorces. Il y avait bel et bien un amas de mousse sur les côtés ombragés d'un chêne et d'un érable. Et elle vit des trous creusés par des pics du côté ensoleillé de quelques pins.

«Ce que Gidéon a dit est vrai, murmurat-elle. Donc, par là, c'est l'ouest... mais bien sûr que c'est l'ouest : c'est la direction opposée au ruisseau.»

Phoébée fourra sa boîte d'amadou dans sa pochette, à côté du couteau à éplucher et de la lettre pour le général au Fort Ticonderoga. Elle appela George. Il ne répondit pas. Elle fureta dans les buissons. Curieusement, il n'était pas réapparu lorsqu'elle avait fait cuire le poisson. Elle se sentit un peu abandonnée, mais elle se dit qu'il était probablement retourné à la maison ; il serait beaucoup mieux là-bas, et elle voyagerait beaucoup mieux sans lui.

Elle s'agenouilla au bord de l'eau et récita une prière pour la guider dans son périple, et une autre pour les âmes de Gidéon et de son père. «Et, Dieu, acheva-t-elle, s'il vous plaît, aidez George à rentrer à la maison.» Et comme pour mettre un terme à sa prière, elle s'aspergea le visage d'eau et en but une dernière gorgée. Elle dit au revoir à son cher ruisseau et partit vers l'ouest.

Au début, elle sursautait au moindre bruissement de feuilles et à la moindre agitation dans les arbres. Elle regardait autour d'elle, inquiète, certaine qu'un loup, un serpent à sonnette ou un ours étaient sur le point de croiser son chemin. Mais au fur et à mesure que le jour avançait, elle se sentait de plus en plus confiante. Elle s'habitua rapidement aux écureuils, aux tamias, aux belettes et aux lièvres parce qu'ils se sauvaient à son approche. De toute la matinée, elle ne vit qu'un seul animal de taille : un ours noir. Il se tenait à bonne distance, de l'autre côté d'un ruisseau, et était si occupé à se goinfrer de baies qu'il ne la remarqua pas. Quoi qu'il en fût, elle marcha avec précaution, longtemps après l'avoir dépassé, question de ne pas l'alerter.

Durant l'avant-midi, elle chemina à travers une forêt de conifères dont le sol était recouvert d'un doux tapis d'aiguilles, qui rendait la marche fort agréable. Le parfum des pins et des sapins y était lourd, et le vent y murmurait dans les hautes branches. Elle traversa aussi de grands bosquets d'érables, de chênes et de noyers où le soleil brillait sur les branches dégarnies. Là, des geais et des corneilles lui tinrent compagnie avec leurs cris puissants et joyeux, et elle trouva des noix qu'elle cassa avec une pierre et qui l'aidèrent à contrôler sa faim.

Elle escalada des collines en suivant des ruisseaux aux cours rapides, et redescendit dans de sombres vallées. Des heures durant, elle gravit péniblement une montagne où des sorbiers drus aux branches basses, lourdes de baies écarlates, contrastaient sur le ciel bleu profond. Pendant un bon moment, elle suivit un étroit sentier battu le long d'une douce montée à flanc de colline. Cette sente débouchait sur un bassin où se déversait une chute et sur le bord de laquelle poussaient des bleuets. Elle réalisa que cette piste devait être celle d'un ours et se hâta de rebrousser chemin. Elle savait qu'à ce temps-ci de l'année, sur les hauts plateaux, les ours se gavaient de baies et de noix et qu'ils cherchaient une grotte pour hiberner. Elle souhaita seulement ne pas tomber dans un trou choisi par un ours. Elle ne vit aucun sentier amérindien, aucun signe d'une quelconque habitation humaine et aucun gros mammifère, mis à part une famille de chevreuils sur la montagne où poussaient les sorbiers.

Au bord d'un ruisseau, elle trouva un buisson d'airelles auquel pendaient encore quelques baies oubliées par les ours. Elle se les fourra avidement dans la bouche. Puis elle s'assit, ôta ses mocassins et frotta ses pieds endoloris. Elle s'appuya contre un gros rocher et écouta le grondement de la chute, au loin. Quelques minutes plus tard, elle cognait des clous. « Non, je ne dois pas ! » cria-t-elle.

Effrayée par le son de sa propre voix, Phoébée se réveilla. Elle remit ses mocassins, se releva, examina les arbres – pour la cinquantième fois de la journée – et reprit la route.

Vers la fin de l'après-midi, quand les ombres commencèrent à s'étirer, Phoébée entra-perçut une prairie à travers les arbres d'où provenaient des grognements et des grondements féroces. Elle rampa jusqu'en bordure du pré. Au loin, près d'un ruisseau, une meute de loups se disputait les restes d'une carcasse. Elle recula vivement et heurta un arbre. Elle se releva, agrippa une grosse branche et s'y hissa. Elle cherchait frénétiquement la prochaine branche quand elle sentit de la fourrure rêche. Elle poussa un cri de terreur en même temps que l'animal, qui grimpa plus haut dans l'arbre.

« Ah ! Notre Père qui êtes aux cieux, c'est un lynx », pensa Phoébée. Au-dessus de sa tête, la bête remua. La jeune fille se mit à prier. Soudain, il n'y eut plus de mouvement sur la branche. Lentement, Phoébée ouvrit les yeux et regarda en l'air. Une paire d'yeux ronds, noirs et terrifiés la fixaient. « Un ours », souffla-t-elle.

Apeurée, elle lâcha presque la branche. Tout se bousculait dans sa tête : les loups mangeaient d'autres animaux – ils pouvaient donc manger des humains – tandis que les ours ne mangeaient pas les hommes, mais avaient des griffes acérées. Elle regarda en direction de la prairie. À cette hauteur, elle vit que les loups se disputaient la carcasse d'un gros ours noir. L'espace d'un instant, son estomac se souleva. Elle inspira profondément et leva les yeux vers l'autre locataire de l'arbre. L'ours était petit, pas encore à maturité. De plus, il avait l'air aussi effrayé qu'elle. « Je crois savoir qui tu es, pensa Phoébée. C'est ta maman, là-bas, n'est-ce pas ? »

«Je ne te ferai pas de mal si tu ne m'en fais pas», lui murmura-t-elle.

Elle releva sa robe, noua solidement ses bras autour de la branche et s'installa plus confortablement. Quelques branches plus haut, l'ourson la fixait toujours, immobile et silencieux.

«Ours, murmura-t-elle soudain, nous serons peut-être ici toute la nuit, juste toi et moi et ces vilains loups, en bas.»

Elle n'avait pas aussitôt fini sa phrase qu'elle entendit un miaulement strident et un gros chat orange atterrit sur ses genoux. Elle étouffa un cri et serra frénétiquement sa branche. George la défia du regard et planta ses griffes dans sa chair.

«J'avais tort, dit Phoébée à l'ourson d'une voix rauque. Nous sommes trois. George, d'où arrives-tu? Où étais-tu passé?» Elle le serra. Il la mordit. Elle glissa et l'attrapa par la queue. Il hurla et enfonça davantage ses griffes dans sa chair. Elle finit par se redresser, tremblante de peur. Elle vérifia si les loups l'avaient entendue. Si oui, ils n'y avaient pas prêté attention. Ils en avaient terminé avec la carcasse et, un par un, ils retournaient dans les bois.

Elle attendit longtemps après que le dernier eut disparu. Puis, tenant fermement le chat, elle se laissa glisser jusqu'au bas de l'arbre. George sauta sur le sol. Phoébée s'adossa au tronc, la tête renversée vers l'arrière et les yeux fermés. Soudain, elle sentit la présence de quelqu'un tout près. Elle ouvrit les yeux. Un jeune Mohawk de grande taille au visage stupéfait se tenait là, à moins d'un mètre d'elle.

6

Peter Sauk

— **P**eter? Peter Sauk?

Phoébée fixait le jeune Mohawk, l'air incrédule.

— Peter! Oh! Peter! Merci, mon Dieu. Je pense que je suis perdue. En premier, vois-tu, c'était clair pour moi que je devais suivre le ruisseau. Mais là, le ruisseau s'arrêtait... parce que j'avais été assez stupide pour croire qu'il se continuait, comme Gidéon me l'avait dit. Je pensais que je m'étais égarée, mais là, je me suis souvenue de ce qu'il avait dit à propos de la mousse et des pics, et j'ai marché dans cette direction, mais là il y avait des loups et un ours et George et... et...

Ses paroles devinrent un embrouillamini incompréhensible. Le regard vide, elle fixa Peter, qui secoua la tête.

— Petit Oiseau, dit-il d'une voix lente et grave, qui rappela à Phoébée les nombreuses soirées qu'il avait passées à leur maison de Hanovre, je ne crois pas t'avoir jamais entendue dire autant de mots à la fois. Et ce que tu dis n'a aucun sens. Viens. Il est tard. Ma mère et ma sœur campent non loin d'ici. Tu me raconteras tout ça plus tard.

Il posa sa main sur l'épaule de la jeune fille et la fit pivoter dans la direction prise, un peu plus tôt, par les loups.

Phoébée n'hésita pas. Elle avait confiance en Peter Sauk. Parmi les étudiants de son père, il était un de ceux qui l'avaient toujours saluée d'un sourire et qui, très souvent, avaient une histoire ou une blague à lui raconter ; et il lui avait donné des mocassins. Et voilà qu'il était là. Aussi incroyable que cela pût paraître. Phoébée ne se demanda même pas pourquoi.

«Il y aura quelque chose à manger», pensa-t-elle. Une chaleur incroyablement douce se répandit dans son corps, alors qu'elle suivait le jeune Amérindien à travers les ombres de la nuit tombante. George lui emboîtait le pas. Quant à l'ourson, il avait disparu.

Peter avait raison. Ils ne prirent que quelques minutes pour traverser la prairie – Phoébée détourna le regard à la vue des restes de l'ourse – et quelques autres pour se frayer un chemin entre les arbres jusqu'à une petite clairière entourée de bouleaux, au bord d'une rivière. C'était là que la mère et la sœur de Peter avaient monté leur campement. À la lueur du feu, Phoébée aperçut les deux femmes s'activer au-dessus d'un chaudron suspendu à un trépied fait de bâtons. Quoi qu'il y eût dans la petite marmite, ça sentait si bon que Phoébée ne pensait qu'à s'asseoir devant pour en dévorer le contenu.

Les femmes se levèrent à son approche. Toutes deux étaient vêtues de leggings et de tuniques en peau de daim.

— Ma mère, Shakoti'nisténha.

Peter s'inclina devant elle.

— Ma sœur, Katsi'tsiénhawe.

Il se tourna vers la plus jeune, et Phoébée vit que celle-ci avait à peu près son âge.

— Salutations, dit Shakoti'nisténha.

Katsi'tsiénhawe se tenait derrière sa mère. Elle inclina légèrement la tête, mais ne dit rien. Peter leur parla brièvement en mohawk. Sa mère sourit, et sa sœur acquiesça timidement.

— Je leur ai dit que tu étais la fille de mon professeur à l'école du Dr Wheelock, à

Hanovre, celle que nous recherchions, et que tu ne parles qu'anglais. Malheureusement, ma sœur Katsi'tsiénhawe parle seulement mohawk. Ma mère baragouine l'anglais, mais, ajouta-t-il en souriant, elle cuisine très bien. Viens.

Reconnaissante, Phoébée s'assit autour du feu et accepta des mains de son hôtesse le petit pot d'eau, le gâteau d'orge et le bol en écorce de bouleau rempli de ragoût de porc-épic. La viande avait la douceur du porc et était tendre comme les grains de maïs, qui ajoutaient leur saveur propre à la sauce onctueuse. Phoébée eut l'irrésistible envie de plonger son visage dans le bol et de manger à la manière des chats. Toutefois, comme ses hôtes, elle utilisa ses doigts pour prendre les morceaux de viande et essuya la sauce avec du gâteau d'orge. Elle donna le dernier morceau à George, qui s'était assis à côté d'elle pendant le repas, étirant ses pattes et miaulant de colère. Les trois Mohawks s'esclaffèrent.

Quand elle eut bien raclé son bol après sa seconde portion de ragoût, Peter lui demanda ce qu'elle faisait seule dans les bois. Il s'était assis le dos contre un gros bouleau, les jambes bien étendues devant lui. La lumière lunaire reflétait sur la blanche écorce de l'arbre et sur ses noirs cheveux tressés. Il nettoya sa pipe à l'aide d'une brindille, tâche que Phoébée l'avait vu faire des centaines de fois à côté de son propre foyer, à Hanovre. Ce geste familier la réconforta et la mit à son aise. Elle s'approcha alors de lui et lui parla d'une voix basse, comme si l'ennemi se tapissait derrière chaque arbre de la forêt :

— Peter, je ne sais pas si je devrais te le dire. Ce n'est pas à moi de le faire.

— Petit Oiseau, je n'ai pas vécu jusqu'à vingt ans, dont presque la moitié dans le monde de l'homme blanc, en me dépouillant des mots des autres comme le laiteron se dépouille de ses graines.

Devait-elle parler du message à Peter ? Elle savait qu'il ne la trahirait pas : il était un homme de parole. Elle savait aussi que les Mohawks étaient les alliés des Britanniques et que Gidéon avait écrit de remettre le message au Mohawk Élias Brant. Mais elle avait l'impression d'être infidèle à Gidéon en racontant son histoire à quelqu'un.

— Je savais que tu avais quitté la maison de ton oncle, lui dit Peter. Un parent qui était à Hanovre t'a vue, là-bas. Il…

— Il me suivait. Je savais que quelqu'un me suivait !

— Il m'a envoyé un message, et nous te surveillions, Petit Oiseau. Ce n'est pas sage pour une jeune fille comme toi d'être seule dans les bois. Il y a trois jours à peine, une grande bataille a eu lieu au sud-ouest d'ici, à Freeman's Farm, près du fleuve Hudson. Les Anglais ont perdu, mais cela importe peu. Ce qui importe, c'est que tu comprennes que les bois ne sont pas seulement pleins d'animaux sauvages, mais aussi de soldats et de déserteurs des deux armées, et pas seulement des hommes de bonne volonté. Une jeune fille seule n'est pas en sécurité. Tu n'as ni garde du corps ni arme à feu pour te protéger. Je doute même que tu aies un couteau de chasse.

— J'ai un couteau.

Phoébée se détourna, fouilla sous sa robe et sortit de sa pochette le couteau à éplucher. Peter y jeta un coup d'œil puis regarda Phoébée, stupéfait.

— Tu veux te défendre avec ça ?

Phoébée regarda le couteau. Elle se sentit soudain ignorante, minuscule.

— Je pensais que... que...

Il ne la laissa pas terminer.

— Petit Oiseau, ça ne sera pas suffisant. Il y a des hommes désespérés qui rôdent dans ces forêts. Certains sont blessés, la plupart sont affamés et n'ont pas couché avec une femme depuis des semaines. Ton petit couteau de cuisine ne les arrêterait pas.

Shakoti'nisténha, la mère de Peter, parla à son tour :

96

— Ro'nikonhri:io a raison, fille du professeur de mon fils. Ce n'est pas bon pour toi d'être en forêt, loin de ta maison, par ces temps mauvais. Ce n'est pas bon du tout.

— Personne n'est en sécurité, ajouta Peter. En juillet, mon père a été tué à la bataille de Hubbardton, de l'autre côté des montagnes, sur les rives du lac Bomaseen. Le frère de ma mère fait de grandes tournées de reconnaissance pour le compte des Britanniques, dans les collines, le long du haut fleuve Connecticut. Quand ma mère et ma sœur seront en sécurité sous sa protection et ses soins, je partirai rejoindre mes frères et me battre avec eux aux côtés des Anglais. Maintenant, peux-tu me dire ce qui t'amène au beau milieu du danger?

Garder secrète l'histoire de Gidéon ne sembla plus si important à Phoébée. Peter s'était fait du mauvais sang pour elle et avait passé de précieuses heures à la chercher alors que sa famille avait besoin de lui. Par ailleurs, il lui avait fait comprendre à quel point elle avait besoin de son aide. Alors, brièvement, elle lui raconta comment elle avait trouvé Gidéon dans la maison de Hanovre et tout ce qui en avait découlé.

Elle inspira profondément.

— Je dois le faire pour Gidéon, Peter. Tu comprends?

97

— Je comprends, Petit Oiseau. Je comprends comment tu te sens, mais le danger reste grand. Qui plus est, tu ne voyageras pas aussi vite que ton cousin l'aurait fait, et tu n'arriveras probablement pas à temps au Fort Ticonderoga pour que ce message soit d'une quelconque utilité au général Powell. Non, je pense que tu dois rebrousser chemin.

Pendant un instant, Phoébée resta bouche bée. Elle n'avait pas considéré ce cas de figure : aboutir au fort trop tard avec le message de Gidéon. Elle sentit soudain un poids dans sa poitrine. Qu'allait-elle faire ? Des familles loyalistes avaient besoin d'aide. Elle devait aller en parler au général.

— Non, Peter, je ne rebrousserai pas chemin.

Elle mit sa main sur le bras du jeune Mohawk et le regarda droit dans les yeux.

— Je dois porter le message de Gidéon au Fort Ticonderoga. Mon père a été tué en se battant avec les rebelles à Boston. Gidéon a été tué parce qu'il était au service du roi. Je ne sais pas lequel des deux avait raison, et je ne peux rien faire pour mon père, mais je peux faire cette chose, cette ultime chose pour Gidéon et peut-être sauver ces pauvres familles de ce qui est arrivé à Déborah Williams. Je dois tenter le coup.

Elle s'assit et posa les mains sur ses cuisses.

— Peter, je ne comprends pas pourquoi tu te soucies de qui gagnera cette horrible guerre.

Peter inspira une longue bouffée de tabac et exhala la fumée, en la fixant gravement.

— Quelle que soit l'issue de cette guerre, les Mohawks, eux, perdront. Mais notre plus grand guerrier, Thayendanegea, et sa sœur, Konwatsi'tsiaiénni, qui dirige une importante société de matrones des Six Nations, nous disent tous deux qu'il est mieux que nous demeurions avec nos alliés de toujours, les Britanniques. En échange de notre aide, ils nous ont promis de défendre nos terres contre l'empiètement des colons. Je crois que nous n'avons pas d'autre choix que de leur faire confiance. Sans notre aide, je ne pense pas qu'ils puissent gagner cette guerre. Konwatsi'tsiaiénni a été la femme de Sir William Johnson, l'agent britannique de la vallée de la rivière Mohawk, et elle a du pouvoir auprès des Anglais. Tout comme Thayendanegea. Le chef de mon clan a décidé de se battre sous leur commandement. Il a envoyé nos guerriers appuyer les troupes du général britannique Guy Carleton à Montréal. Je suivrai mon chef comme j'ai suivi Thayendanegea qui a étudié avec le Dr Wheelock. Mais je souffre de me détourner du sentier de mon

99

ancien professeur, Jonathan Olcott, parce que j'ai énormément de respect pour lui.

Il tendit la main et la posa sur celle de Phoébée. Ils demeurèrent silencieux, mais la jeune fille sentit qu'ils se comprenaient très bien.

Shakoti'nisténha se leva.

— Le temps est venu de dormir. Assez parlé, blâma-t-elle Peter.

Phoébée était épuisée. Elle se coucha entre la mère et la sœur de Peter, enveloppée dans son châle et sa cape, les pieds bien au chaud près des braises. Et avant de sombrer dans le sommeil, elle eut une dernière pensée pour Shakoti'nisténha et sa générosité.

Au réveil, sa première pensée fut pour Peter Sauk. Malgré toute sa gentillesse, elle ne devait pas le laisser lui dicter sa conduite. Ils se levèrent et déjeunèrent d'une bouillie de maïs, qui goûtait tant celle qu'elle cuisinait à la maison qu'une lame d'ennui lui traversa la poitrine. L'espace d'une seconde, elle faillit dire à Peter qu'elle voulait retourner sur les rives du fleuve Connecticut avec lui. Et quand il lui demanda si oncle Joshua et tante Rachel étaient au courant de son expédition, elle se mit presque à pleurer.

— N-n-non, balbutia-t-elle, je suis partie sans rien leur dire.

— Tu n'as pas pensé qu'ils s'inquiéteraient?

Phoébée ne sut que répondre. Après le choc de la mort de Gidéon, la furie d'Anne à son égard, la découverte du message dans l'arbre creux et la décision de le porter à qui de droit, elle n'avait pas pensé une seconde que son oncle et sa tante pussent s'en faire à son sujet.

— J'irai leur parler, dit Peter.

Et, à ce moment-là, Phoébée sut qu'il n'essaierait plus de la persuader de retourner à la maison.

— Je ne dois pas m'attarder ici, poursuivit Peter. Pas plus que je ne peux porter ce message au général Powell. Ma mission est trop urgente. Les rebelles ne font pas de cadeaux à leurs voisins mohawks, et je ne peux pas mettre en jeu la sécurité de ma mère et de ma sœur. Et je ne te ramènerai pas comme une prisonnière à la famille Robinson, Phoébée Olcott. Car même si tu es vraiment un gentil petit oiseau gris, je sais que tu es aussi têtue que l'ours Ohkwá:ri. Je devrais surveiller tes faits et gestes, mais je n'en ai pas le temps. Écoute alors attentivement ce que j'ai à te dire et consulte fréquemment la carte que je vais te donner.

Pendant tout le temps qu'il lui parlait, Peter arracha un morceau d'écorce à un grand bouleau, puis dessina dessus avec le crayon qui pendait à une corde autour de son cou.

En pointant la carte, il l'instruisit de suivre Kaniatarà:ken – la rivière Blanche, dans la langue de l'homme blanc – sur le bord de laquelle ils campaient. La rivière coulait au sud des hautes montagnes et un ancien sentier abénaquis la longeait. Il lui indiqua l'endroit où elle devait s'éloigner de la rivière et s'engager vers le sud, et comment, par la suite, demeurer sur les basses collines. Il traça de vieilles pistes amérindiennes qui, lui dit-il, suivaient de très petits cours d'eau, et lui marqua d'un point le village de Rutland où elle croiserait une route militaire. Phoébée se souvint de cette route sur la carte déchirée que Gidéon avait utilisée pour écrire à Pauline Grantham.

— La route militaire te conduira à travers des villages et des terres de colons. Par les temps qui courent, les étrangers ne sont pas bienvenus dans ces communautés frontalières. De plus, des rebelles zélés s'acharnent à poursuivre les Loyalistes pour les emprisonner ou les tuer, alors n'emprunte pas cette route. Ils ne te demanderont pas si ton père était un Patriote, et, de toute façon, le message que tu transportes te trahirait. Reste dans la forêt, mais jamais très loin de la route.

Quand tu arriveras à Shoreham, quitte la route militaire. Là, en direction sud, tu trouveras une vieille piste abénaquise. Suis-la jusqu'à Shaw's Landing, à l'étranglement du lac Champlain où on peut apercevoir le Fort Ticonderoga bien au-dessus des rives, du côté new-yorkais du lac. Ne confonds pas le lac avec d'autres cours d'eau. Entre la rivière Blanche et le lac, tu ne croiseras que des ruisseaux et des petites rivières. Pourtant, au pertuis, là où il s'étrangle, le lac ressemble à une rivière. Sois très vigilante ! Une fois là, tu devras trouver quelqu'un pour t'amener sur l'autre rive.

Phoébée acquiesça, concentrée sur les instructions à suivre. Elle avait peur. Le ton d'avertissement dans la voix du Mohawk et le détail de son périple l'effrayaient davantage que les histoires de soldats déserteurs.

Peter lui tendit la carte.

— Si tu es aussi têtue que je le crains…

Il fit une pause. Comme Phoébée ne disait mot, il enchaîna :

— Ma mère et moi avons décidé que tu échangerais tes vêtements avec ceux de ma sœur. Vous êtes de la même taille, alors ça ne devrait pas poser de problème. Tu passeras plus inaperçue avec le linge de Katsi'tsién-hawe qu'avec ta robe de femme blanche. Et tu devras sans doute grimper aux arbres.

Il sourit, et Phoébée sut qu'il faisait référence à son aventure avec l'ourson.

— Il y aura des ruisseaux à enjamber, poursuivit-il. Tu trouveras peut-être des grottes où dormir, mais tous les *ohkwá:ri* que tu rencontreras ne seront pas aussi timides que l'ourson d'hier. Ta robe encombrante ne te servira pas autant que le *ionthsinoh-rókstha* et le *akia:tawi* que porte ma sœur.

Il se tourna vers Katsi'tsiénhawe, qui lui renvoya un sourire plein d'encouragement.

— Katsi'tsiénhawe admire ta cape multicolore. Elle serait heureuse de te l'échanger contre sa couverture.

Phoébée jeta un coup d'œil à la grande cape de sa mère dans laquelle elle était drapée. Elle était vieille, les mites y avaient fait des trous, sa doublure de fourrure était très usée, mais s'en départir était comme se défaire à jamais de tout ce qui lui restait de cher. Elle recula d'un pas, ouvrit la bouche pour dire qu'elle refusait, mais à ce moment-là, elle vit Peter, sa sœur et sa mère. Comment pouvait-elle leur être si peu reconnaissante? Le père de Katsi'tsiénhawe était mort à la guerre comme son propre père et, bientôt, son frère partirait se battre et mourrait peut-être. De plus, sa tunique avait probablement été confectionnée et brodée par quelqu'un qui lui était cher. Avant qu'elle n'eût le temps de changer d'idée, Phoébée défit le fermoir argenté à son cou, ôta la cape de sur ses épaules et la remit à la jeune Amérindienne. En retour, Katsi'tsiénhawe lui sourit timidement et lui tendit sa couverture rouge. Ensuite, Peter alla déambuler sur le bord de la rivière et laissa aux jeunes femmes l'intimité nécessaire afin qu'elles échangeassent leurs vêtements. Le seul élément que Phoébée conserva fut la pochette qu'elle portait à la taille. Elle la fourra dans une manche de la tunique avec le précieux message qu'elle contenait.

Les leggings de cuir souple et doux lui donnaient à la fois une sensation de quasi-nudité et celle d'une deuxième peau. Également en peau de daim, la longue tunique lui faisait un effet différent. Seule sa coupe pouvait se comparer à celle des chemises que Phoébée se confectionnait. Pour le reste, c'était le jour et la nuit. En plus d'être nettement plus chaude, elle était ornée d'un magnifique parement fait d'agencements complexes de perles et garnie de franges aux épaules, le long des manches et à l'ourlet. Les deux jeunes filles se sourirent timidement quand elles se virent dans leurs propres vêtements. Voir Katsi'tsiénhawe porter sa robe ne gênait pas Phoébée, quoiqu'elle eût l'étrange impression de se regarder dans un miroir déformant. Elle eut un pincement au cœur quand la jeune Mohawk flatta avec admiration la grande cape de tartan, mais remarqua l'air triste de celle-ci lorsqu'elle-même passa ses doigts sur le cuir souple de la tunique. Quand la mère de Peter s'adressa à elle, Phoébée pivota, soulagée. Shakoti'nisténha lui tendit du maïs moulu et légèrement grillé dans un petit étui d'écorce de bouleau.

— Si, un jour, tu te retrouves près d'un ruisseau où le poisson ne vient pas à toi et où les arbres ne te cèdent pas leurs noix, mélange cette poudre à de l'eau et tu ne mourras pas de faim, lui dit Peter.

— Non, merci, répondit Phoébée en secouant la tête avec véhémence. Vous en aurez besoin pour vous-mêmes.

— Quand nous sentirons les tiraillements de la faim, Petit Oiseau, nous saurons que, toi aussi, tu les ressens, mais jamais avant nous. Bientôt, je le crains, tu ne seras plus un petit oiseau si rondouillard.

Il sourit, l'air piteux. Phoébée accepta la farine de maïs des mains de la mère de Peter, une boule dans la gorge : parfois, il était plus facile de retenir des larmes de chagrin que des larmes de joie. Elle s'inclina devant Shakoti'nisténha et Katsi'tsiénhawe, puis devant Peter. Elle se jeta ensuite dans les bras du jeune homme et le serra très fort. Il lui rendit son étreinte.

Phoébée mit l'étui de farine de maïs dans sa pochette et, tenant fermement sa carte, elle partit vers l'ouest en suivant la vieille piste amérindienne, le long de la rivière Blanche. Elle aimait cette rivière. Bien qu'elle ne fût pas aussi large que le fleuve Connecticut, son cours était aussi vif, et l'exubérance avec laquelle elle éclaboussait les roches lui rappelait le ruisseau à la Truite. Le vent était léger, l'air était froid et le ciel était bleu. Le soleil dessinait des formes chatoyantes qui modifiaient sans fin la surface de l'eau. C'était une de ces journées lumineuses qui égayent les esprits les plus sombres. Le confort et la souplesse des leggings de Katsi'tsiénhawe lui simplifiaient la marche.

Phoébée ne voyagea pas seule. Elle n'avait pas encore atteint le premier tournant de la rivière qu'elle entendit un miaulement familier derrière elle. George apparut soudain et vint se frotter sur ses mollets, flairant l'odeur de Katsi'tsiénhawe sur ses vêtements.

Ils poursuivirent leur chemin ensemble comme de fidèles compagnons – George déviait parfois de la route mais sans jamais trop s'éloigner – quand Phoébée entendit renifler un animal à proximité. Un jeune ours noir se grattait le dos contre un pin, à deux mètres de là.

« Notre Père qui êtes aux cieux, souffla-t-elle, un autre ours. » L'ours leva les yeux et la vit. Il cessa de se gratter et marcha vers elle sans se presser. Elle recula. George courut rejoindre l'ours et se frotta contre ses pattes. « Non, George ! Oh non ! » cria Phoébée.

Elle ferma les yeux. Elle ne pouvait ni le sauver ni déguerpir non plus. Elle attendit son cri d'agonie, qui ne vint pas. Lentement, elle rouvrit les yeux. L'ours ne bougeait pas et George, extatique, se roulait à ses pieds. Bon sang !

« Tu n'es pas un autre ours, toi. Je te connais. On a déjà passé du temps ensemble dans un arbre. » Il lui vint soudain à l'esprit que, même si cet ours était jeune et qu'il lui était familier, cela n'était pas une raison pour ignorer le fait que c'était un ours, et qu'un ours pouvait être dangereux. Elle recula avec précaution.

« Viens, George, murmura-t-elle. Allez, viens ! » Mais elle ne l'attendit pas. Elle tourna les talons, marcha d'abord, puis accéléra jusqu'à presque courir. Quand elle entendit des grognements très près derrière elle, elle s'arrêta net et pivota. L'ours stoppa tout aussi net. « Va-t'en ! » haleta-t-elle. Elle pointa en direction du pin en agitant la main. L'ours ne bougea pas. « S'il te plaît, va-t'en ! » le supplia Phoébée. L'ours ne bougea toujours pas. Il la regarda, l'air d'attendre quelque chose. « S'il te plaît. Je ne veux pas de toi ici. George, l'implora Phoébée, voudrais-tu, s'il te plaît, dire à cet ours de s'en aller ? »

Soudain, elle réalisa qu'elle venait de demander à un chat de parler à un ours. Demander à un chat de parler à un ours ! Oubliant sa peur et la nécessité d'être silencieux en forêt, elle éclata de rire. Elle n'avait pas ri comme ça depuis très, très longtemps.

Elle reprit finalement son souffle. Qu'est-ce que ça pouvait bien faire que l'ours la suivît quelque temps ? Il ne semblait pas lui vouloir de mal et il était de bonne compagnie – étrange compagnie – pour George. Peut-être ferait-il peur à de gros animaux et même à de sombres individus ? Comme ils allaient voyager ensemble, Phoébée décida de le baptiser, et parce qu'il lui faisait penser à une vieille femme d'Orland, elle le nomma Bernard.

« Maîtresse Bernard a toujours l'air pleine d'espoir, comme toi, lui dit-elle. Et son derrière est aussi gros que le tien ! »

Et le long et pénible périple reprit. Au fur et à mesure des jours, Phoébée devint de plus en plus brave. Elle n'était plus terrifiée chaque fois qu'un hibou bruissait des ailes ou qu'une perdrix s'envolait devant elle. Elle marchait avec précaution en conservant une bonne cadence. Elle n'avait plus à veiller à faire le moins de bruit possible, surtout pas avec un ourson maladroit sur ses flancs et un chat geignard sur ses talons. Et George se plaignait vraiment beaucoup. Il exigeait qu'elle le portât quand il était fatigué et miaulait quand Phoébée et Bernard ne voulaient pas s'arrêter pour qu'il bût ou traquât une proie.

Ils passèrent une journée entière à gravir le versant d'une montagne et à redescendre de l'autre côté le long d'une pente abrupte, et de nombreux autres jours à avancer péniblement sous la pluie, à travers des marécages. Ils traversèrent des ruisseaux et des prairies détrempées. La neige qui tapissait le sol à son départ d'Orland avait fondu, mais la température était de plus en plus froide. De la neige recouvrait désormais le sommet des plus hautes montagnes. Les journées raccourcissaient. De la glace se formait sur les bords des ruisseaux et des étangs. Les poissons nageaient plus creux et ne se laissaient plus attraper si facilement. Quelques rares oies descendaient encore vers le sud, et les branches des ormes, des chênes et des érables étaient pratiquement dénudées. Seuls les mélèzes avivaient encore de leurs reflets dorés les marécages et les forêts de pins et de cèdres. Parfois, Phoébée marchait tout le jour, enveloppée dans la couverture de Katsi'tsiénhawe pour se protéger des intempéries. Elle était si contente de l'avoir pour se réchauffer, la nuit. Et George et Bernard aussi. Ils se recroquevillaient à ses côtés, près du feu, et ne bougeaient plus.

Bernard empestait. Phoébée essayait de s'en éloigner, mais chaque fois qu'elle le repoussait, l'ourson roulait de nouveau jusqu'à elle. Où qu'ils couchassent – près des petits cours d'eau, protégés du vent par des rochers ou des petites collines, ou dans des grottes au pied des montagnes –, tous trois formaient une boule de chaleur à laquelle Phoébée finit par s'habituer, comme elle s'accoutuma à la fourrure rude et à l'odeur rance de l'ours.

Phoébée et Bernard se nourrissaient de poisson et des quelques airelles, mûres et framboises qui subsistaient encore sur les buissons. Ils mangeaient aussi des noix, des noisettes ou des noix d'hickory trouvées au pied des arbres, et toutes sortes de plantes comestibles – pourpier, menthe poivrée, chicorée, etc. – qui avaient survécu au gel dans des endroits tièdes et protégés. Quant à George, il chassait comme tous les chats.

Ils ne croisèrent personne. Ils suivirent la route que Peter Sauk leur avait tracée le long de la rivière Blanche, et, au point indiqué, bifurquèrent vers le sud-ouest, en suivant les vieilles pistes, aux abords des ruisseaux et des petites rivières, et à travers de grandes vallées, sises entre les chaînes de montagnes. Le cœur de Phoébée était plein de gratitude pour Peter et ses précieuses indications. Sans sa carte détaillée, elle savait qu'elle n'aurait jamais, au grand jamais, pu trouver son chemin à travers les forêts denses et les hautes montagnes. Elle rejoignit finalement la route militaire, qui était accidentée mais assez large pour accueillir des colonnes de fantassins, des chariots et des chars. George dans les bras et Bernard grognant et reniflant nerveusement à ses côtés, Phoébée contourna la route et les villages de Rutland, Pittsford et Brandon. Elle entra presque dans Shoreham tant son désir de voir des êtres humains était grand.

Par une soirée froide où tombait un crachin épais – une pluie si froide et si dense qu'on aurait dit de la neige –, Phoébée campa de bonne heure. Pour une fois, elle prévoyait se cuisiner un vrai souper. Elle avait trouvé un buisson de mûres, dissimulé entre un sumac et un prunellier, et vierge d'attaques d'oiseaux et d'ours. Elle en avait rapidement cueilli les baies avant que Bernard ne les mangeât toutes et les avait déposées dans une poche de sa tunique. Ensuite, elle avait fabriqué un petit panier de feuilles pour les y transporter. Peu de temps après, ils avaient traversé un ruisseau. Phoébée avait pris sa tige de plante grimpante et son hameçon de fortune et, du premier coup, avait attrapé une truite de près de trente centimètres de long.

Tenant la truite et le panier de mûres le plus haut possible pour que ni le chat ni l'ours ne les attrapassent, elle tentait, avec sa main libre, de ramasser des branches pour faire un feu quand Bernard se mit à gronder. Elle gronda à son tour dans sa direction, et l'ours se tut immédiatement ; elle avait découvert que ce truc fonctionnait à merveille. Elle poursuivit son travail. Soudain, elle entendit des voix qui approchaient. Elle laissa tomber ses branches, sa truite et ses baies, attrapa George et grimpa rapidement dans l'arbre le plus près. Bernard la suivit.

Quelques minutes plus tard, deux individus apparurent. Ils portaient des mousquets à l'épaule et étaient vêtus en hommes des bois : chemise à franges et leggings en peau de daim. Paralysée par la peur, Phoébée les observa du haut de la branche nue où elle était perchée. Ils s'arrêtèrent juste en dessous d'elle. L'un d'eux retira son barda et y plongea la main pour en ressortir un canard. L'autre se pencha et ramassa le poisson pêché par Phoébée.

— Quelqu'un est passé par ici, Abel.

— Ouais, pis ils sont pas restés longtemps. Ils nous ont laissé une truite. Pars le feu, Jake, pis moi, j'déplume le canard. Ça va nous faire un sacré bon casse-croûte. J'ai tellement faim que j'pourrais manger un cochon à moi tout seul.

Il s'assit et commença à déplumer le canard.

Son compagnon n'était pas aussi calme que lui. Il fouilla les alentours, regarda derrière les buissons, marcha dans une direction et dans l'autre. À un moment donné, il regarda en l'air et – ô miracle! – les ombres des arbres environnants et la pluie épaisse qui avait recommencé à tomber obscurcirent les silhouettes de Bernard, Phoébée et George.

— J'sens l'ours, Abel, j'te jure que je l'sens, insista-t-il.

— Ben, c'est sûrement pas un ours qui a empilé ces branches-là, pis en plus, y'a pas un ours que j'connaisse qui laisserait traîner un poisson pour que quelqu'un d'autre le mange. Allez, Jake, pars le feu avant qu'les branches soient trop mouillées pour brûler.

Dans l'arbre, George éternua. Phoébée l'agrippa. Il lui mordit le bras. Elle sursauta. Le chat se libéra de son étreinte, tomba et atterrit sur Bernard. Dans un rugissement de terreur, ce dernier chuta et s'abattit sur l'homme appelé Jake.

Dans un puissant effort, Jake repoussa l'ours et s'enfuit. Abel attrapa son fusil et se lança à la suite de son compagnon, en poussant un long chapelets de jurons. Bernard se recroquevilla au pied de l'arbre. Phoébée descendit en vitesse.

Elle courut, courut, courut jusqu'à ce que sa terreur fût assez apaisée pour qu'elle s'arrêtât, reprît son souffle et se remît à penser. Elle savait qu'elle avait couru dans la direction opposée à celle des hommes, mais elle n'avait aucune idée de quelle direction il s'agissait. George et Bernard n'étaient nulle part en vue, la pluie avait viré en neige et il faisait noir comme chez le loup. Elle était perdue. Elle tira la couverture par-dessus sa tête. Elle avait peur de partir dans la mauvaise direction, mais elle était si convaincue que les deux hommes se cachaient derrière la prochaine colline, prêts à lui sauter dessus, qu'elle avait encore plus peur de rester là. Elle se remit donc en marche, priant qu'un ange la protégeât, la conduisît sur le bon chemin et veillât sur Bernard et George.

Sa dernière prière fut exaucée juste avant l'aube. Il ne neigeait plus. Elle s'était assise à l'abri d'une petite colline pour se reposer et s'était endormie. Elle s'éveilla lorsque Bernard roula jusqu'à elle. Elle se leva et examina les alentours. Le ciel était clair et sa teinte rosée augurait une belle journée. Toutefois, aussi heureuse qu'elle fût de retrouver ses compagnons, elle était affamée, fatiguée, endolorie et misérable. Ce matin-là, contrairement à tous les autres matins depuis qu'elle avait entamé son périple, elle ne s'éclaboussa pas le visage à l'eau claire et ne refit pas ses tresses. Au plus profond de son cœur, elle eût souhaité être retournée à Orland avec Peter Sauk, sa mère et sa sœur.

Bernard mangea des noix qu'il avait trouvées sous les arbres. Phoébée dut se contenter de cresson cueilli sur le bord d'un ruisseau. Elle but beaucoup d'eau afin de ne pas ressentir trop cruellement la faim. Elle en voulait à Bernard et à George pour les noix et pour l'indiscutable odeur de poisson qu'ils charriaient sur eux. «Je suppose que vous avez aussi mangé le canard», leur dit-elle, furieuse.

Elle se remit en route sans plus leur adresser la parole. Elle s'arrêtait de temps à autre pour s'orienter à l'aide des arbres et poursuivait son périple un pas à la fois, gravissant une colline, la redescendant, traversant un ruisseau, un deuxième et un troisième jusqu'à ce que, éreintée et découragée, elle s'affaissât contre un énorme rocher. Ce rocher se trouvait au sommet d'une colline dont la pente s'achevait brusquement sur la berge d'une large rivière. Phoébée pencha la tête vers l'arrière et ferma les yeux. Elle écouta les cris aigus des mouettes, dérangées par le claquement sec d'une queue de castor sur l'eau. George arriva et se frotta contre elle. «Ne m'énerve pas, George. Va donc te pêcher quelque chose dans la rivière. Je peux sentir le poisson d'ici.»

Elle ouvrit les yeux. Des mouettes! Elle écoutait des cris de mouettes au bord d'une rivière. Une rivière! «Après avoir quitté la rivière Blanche, tu ne verras que des ruisseaux et des petites rivières.» Peter n'avait-il pas dit aussi: «Sois vigilante! Au pertuis, là où il s'étrangle, le lac ressemble à une rivière. Tu ne le reconnaîtras peut-être pas tout de suite.»

Son cœur se mit à battre la chamade. Sous le soleil de l'après-midi, l'eau brillait à travers les branches des arbres. «Faites que ce soit le lac, mon Dieu. Faites que ce soit le lac», murmura-t-elle.

Elle marcha lentement en direction du cours d'eau, sous le couvert des arbres, remarquant à peine les buissons et le boisage qu'elle repoussait sur son passage.

Quand elle arriva au pied du courant, elle le vit. Il était là, de l'autre côté de la surface miroitante, perché sur une falaise, comme Peter l'avait dit: le fort.

Au bas de la falaise se trouvait un quai, mais aucun bateau n'y était amarré. Elle n'en vit pas non plus sur l'eau. Tout semblait désert, déserté même. Phoébée regarda aux alentours, sentant que, d'une façon ou d'une autre, une occasion de traverser se présenterait à elle. Et l'occasion se présenta. À moins d'un mètre de là, une barque, à moitié ensevelie sous les feuilles et les branchages, était attachée à un jeune saule ployant au-dessus de l'eau. Phoébée la contempla, émerveillée. Elle se pencha, la débarrassa des branches qui l'encombraient et balaya les feuilles. Elle toucha l'un des tolets.

«Un ange veille sur moi, souffla-t-elle. Gidéon, je porterai ton message à ton général au Fort Ticonderoga.»

7

Il n'y a personne

— **H**é !

Phoébée entendit un cri enroué.

— Lâche notre barque !

Un homme dévala la pente à toute allure dans sa direction. Elle voulut s'enfuir, mais il fut trop rapide pour elle. Il l'attrapa par le bras ; elle serait tombée s'il n'avait eu une poigne si solide.

— S'il vous plaît ! le supplia-t-elle en tentant désespérément de se libérer. Je voulais juste l'emprunter. Je dois traverser, je dois aller au fort. S'il vous plaît ! Je vous la ramènerai.

Elle se força à le regarder. Aussitôt, les battements de son cœur diminuèrent : son ravisseur était à peine plus vieux qu'elle. Il était aussi grand qu'un homme dont il avait la voix grave, mais il avait la minceur angulaire d'un garçon, et son visage, partiellement caché par un bonnet de fourrure de raton laveur, était glabre.

Il resserra son étreinte. Phoébée grimaça de douleur.

— J'te lâcherai pas tant que tu m'diras pas c'que tu fais ici. Pourquoi tu veux aller au fort ? Que tu y ailles ou pas fera pas grand' différence : il n'y a personne là-bas.

Phoébée était médusée.

— Qu'est-ce que tu entends par « il n'y a personne » ? Où est le général Powell ? Où sont les soldats britanniques ? Il doit bien y avoir quelqu'un, là-haut.

À la mention du général Powell et des soldats britanniques, le garçon desserra sa poigne.

— Ben, c'est simple : il n'y a personne. Personne. Pas une âme qui vive. Ils sont partis. Les hommes au grand complet sont partis. Maintenant, il s'agit de savoir comment on va donner une raclée à ces sacrés rebelles avec le général Burgoyne et sa suite. Notre gentleman Johnny[7] a sorti Powell et ses soldats du Fort Ti avec le même gros bon

---

7. N.D.L.T. Surnom du général britannique John Burgoyne.

sens qui lui a fait perdre les batailles de Freeman's Farm pis de Bemis Heights, plus loin sur le fleuve Hudson. Ç'a été pareil à Bennington pis à Hubbardton. Il est parti et il vous a laissé faire ce que vous vouliez, vous autres, les rebelles, bande de voleurs et de meurtriers !

— Je ne suis ni une rebelle ni une voleuse ! Et lâche-moi, s'il te plaît ! Je ne me mettrai pas à courir, je te le promets. Je ne peux pas réfléchir si tu me tiens comme ça. Je t'en prie, tu me fais mal.

Le garçon lança à Phoébée un long regard suspicieux. Lentement, il retira sa main. Phoébée recula d'un pas et frotta son bras pour que le sang y circulât de nouveau. Ce faisant, elle digéra l'information que le garçon lui avait transmise. Que devait-elle faire ? Si ce qu'il disait était vrai, à qui pourrait-elle remettre le message codé ? Et qui aiderait les familles loyalistes ?

— J'voulais pas t'faire mal.

Le garçon se balança sur ses jambes longues et minces. La colère avait disparu de ses yeux... d'un bleu extraordinairement brillant, mais dans un visage plutôt ordinaire. Il avait une large bouche, un nez camus et un visage carré plein de taches de rousseur. Des mèches de cheveux blond roux sortaient de dessous son chapeau, qu'il portait très bas sur le front.

— De toute façon, dit-il en fronçant les sourcils, tu m'as pas dit c'que tu fais ici, habillée en squaw, pis pourquoi t'essayes de voler une barque pis de t'rendre à une place qui est aussi vide qu'un poulailler après qu'le renard soit passé. En plus, y'a pus beaucoup de Loyalistes dans la région : on est tous partis. Ça fait qu'y'a pus rien à faire ici pour une espionne.

— Partis ? Tous les Loyalistes sont partis ? Mais où ?

— J'peux pas parler pour tout l'monde, mais les rebelles sont venus chez nous, y'a deux jours de ça. En plein milieu de la nuit. Des voisins. Ils nous ont sortis de nos lits et ils nous ont dit de partir. Ils ont essayé de m'embarquer dans leur maudite armée, mais j'me suis échappé et j'me suis caché dans l'bois. J'me suis faufilé jusqu'à notre barque et j'ai ramé jusqu'ici pour rejoindre m'man et la p'tite. J'ai pas l'temps de placoter toute la journée, mais j'pars pas tant que tu m'as pas dit c'que tu manigances.

Dans un geste d'impatience, il repoussa son chapeau de sur son front, révélant ainsi la bordure effilochée d'un bandage taché de sang.

— Oh ! Que t'est-il arrivé ?

Instinctivement, Phoébée tendit la main vers le front du garçon.

— Ah! J'me suis bataillé avec la vermine qui essayait de m'embarquer dans son armée.

Il rabaissa son chapeau et, étonnamment, sourit. Tout son visage s'éclaira. Surprise, Phoébée se demanda pourquoi elle lui avait trouvé une allure si banale. Il fronça de nouveau les sourcils.

— J'mets pas un pied devant l'autre tant que tu m'as pas dit c'que tu fabriques ici, ajouta-t-il, entêté.

Phoébée ne savait que faire. Que pouvait-elle lui dire? Elle ne pouvait pas lui parler de Gidéon ou encore lui confier le message codé ou la liste des familles loyalistes, car pour autant qu'elle sût, il lui mentait probablement; il était peut-être lui-même un espion rebelle.

— Je suis en mission, dit-elle finalement. Disons plutôt que j'étais en mission au Fort Ticonderoga, mais s'il n'y a plus personne, je ne sais pas ce que je vais faire.

Il la fixa, ne croyant ou n'assimilant pas ce qu'elle avait dit. Phoébée ne savait pas comment interpréter sa réaction. Il haussa les épaules, l'air résigné, et leva les yeux au ciel où de sombres nuages s'amoncelaient à l'est.

— J'dois y aller, dit-il. Ça ressemble à d'la pluie. Encore plus à d'la neige. Et j'dois retrouver m'man. Elle est partie vers le nord, en direction de la rivière Iroquois, au Canada. Si j'étais toi, j'm'en retournerais tout de suite d'où j'viens.

Retourner d'où elle venait. Soudain, tout ce que le garçon lui avait dit l'ébranla des pieds à la tête. Elle en eut le souffle coupé et ses épaules s'affaissèrent. Retourner. Retourner par-delà ces montagnes. Un frisson d'horreur lui parcourut l'échine : elle ne pouvait pas retourner à Orland. Elle avait porté le message de Gidéon, donc fait le travail d'un espion loyaliste. Les hommes qui avaient pendu son cousin la pendraient à son tour. Au loin, près de la rive opposée, elle vit un long canot glisser sur le lac en direction sud, et une volée de canards fendre l'air, apeurés. Ils ne semblaient pas réels. Rien ne semblait réel.

— Tu peux pas rester plantée là, dit le garçon, une pointe d'impatience dans la voix. Y'a des animaux sauvages dans la forêt et des soldats rebelles dans le fort au sommet de cette montagne-là, à moins de deux kilomètres d'ici. Retourne chez toi. Moi, j'vais essayer de retrouver m'man et m'dame Anderson.

Anderson. Phoébée se raidit de surprise. Anderson était l'un des noms sur la liste de Gidéon. Elle connaissait ces noms par cœur, elle les avait relus si souvent. Ces Anderson-là pouvaient-ils être ceux qu'elle recherchait?

— Es-tu parent avec les Anderson? lui demanda-t-elle. Je veux dire la famille de Septimus Anderson qui vit près de Skenesborough, dans la province de New York.

— Non, moi j'm'appelle James Morrissay. Les Anderson vivaient à une couple de kilomètres de chez nous.

Morrissay, un autre nom sur la liste. Ces deux familles devaient être celles dont parlait le message. Et, de toute évidence, elles n'étaient pas en sécurité. Phoébée était arrivée trop tard, comme Peter Sauk l'avait craint.

— James Morrissay…, commença-t-elle.

Elle allait lui poser la question à propos de la famille Colliver, mais il l'interrompit:

— Attends voir, comment tu sais que…? Oh! Jésus-Marie-Joseph!

D'un mouvement vif et brusque, il agrippa Phoébée par le bras et la poussa vers la barque. Elle entendit un grognement sourd, et Bernard émergea du sous-bois, le museau taché de rouge foncé.

— Il saigne, haleta James. Et aussi sûr qu'un et un font deux, sa mère est juste derrière lui, prête à nous tuer. Si tu peux courir, t'es mieux de l'faire maintenant. VIENS-T'EN!

Phoébée se dégagea de la poigne du garçon et s'agenouilla à côté de l'ours.

— Bernard, je t'ai oublié, je suis désolée, lui dit-elle en flattant sa fourrure rêche. Pardonne-moi. Où as-tu trouvé des baies assez juteuses pour te barbouiller comme ça?

— Jésus-Marie-Joseph! dit James d'une voix chevrotante. T'as perdu la tête!

Phoébée leva les yeux vers lui.

— Il n'a pas de mère et il ne te fera pas de mal. Il s'appelle Bernard.

— Bernard? Bernard? Où est-ce qu'il est allé pêcher ce nom-là?

Le visage de James était rouge d'embarras.

— C'est moi qui l'ai baptisé ainsi. Il me faisait penser à la vieille maîtresse Bernard, à Orland. Les cheveux de la vieille femme sont de la même couleur que la fourrure de Bernard, et elle mange autant que le cochon qu'elle engraisse. Alors, tu vois, elle est petite, grosse et… hum… mon cousin Gidéon disait d'elle qu'elle ressemblait à un billot de la largeur de trois manches de hache. Bon, en réalité, c'est peut-être plus un manche et demi, mais c'est vrai qu'elle ressemble un peu à un ours.

James regarda Phoébée comme s'il pensait qu'elle était folle.

— Où est-ce que tu l'as trouvé?

Phoébée se leva. Bernard geignit. Elle se pencha et lui flatta la tête en lui murmurant de doux encouragements. Elle se sentait mieux. Le museau taché de rouge de Bernard et le malaise de James Morrissay lui semblaient maintenant si ridicules que tout son être s'était rééquilibré.

— Dans un arbre, répondit-elle. Je l'ai trouvé dans un arbre.

— D'où est-ce que tu viens?

— De l'autre côté des montagnes, au bord du fleuve Connecticut.

— Impossible! Une p'tite bonne femme comme toi, habillée en squaw? Toi et... et cet ours, tout ce chemin-là pour voir le général Powell au Fort Ticonderoga alors qu'il est même pas là? J'te crois pas.

Il se croisa les bras et lança un regard noir à la jeune fille.

— Je ne savais pas qu'il était parti.

— Pourquoi tu voulais voir le général?

James semblait avoir oublié qu'il était pressé de retrouver sa mère.

— À cause de la mission qu'on m'avait confiée, lui répondit Phoébée d'un ton sec.

— Ouais, ben, tu trouveras pas un général britannique avant le Fort Saint-Jean, sur la rivière Iroquois, celle qui coule du lac Champlain au fleuve Saint-Laurent. Ce fort-là se trouve à plus de cent cinquante kilomètres au nord d'ici, au Canada. Les forts du sud ont tous été pris par les rebelles. Salut! Moi, j'suis déjà parti.

Il pivota et, l'instant d'après, se retourna vers elle.

— Si tu t'décides à monter jusqu'au Fort Saint-Jean, tu peux t'rendre là d'la manière que tu veux, mais chose certaine, tu viens pas avec moi. J'ai assez de ma propre personne à m'occuper sans avoir un ours par-dessus l'marché!

Avec une intention bien arrêtée, il gravit la pente jusqu'au sentier. Quand il l'eut atteint, il partit en direction nord. Il n'avait fait que quelques pas lorsqu'il ralentit, s'arrêta et rebroussa chemin jusqu'à elle.

— J'peux pas t'laisser ici. Ç'a pas d'bon sens! Viens. M'man saura quoi faire de toi. Mais Dieu te vienne en aide si jamais t'es une espionne rebelle.

Soudain, il agrippa Phoébée par le bras.

— Dis rien, murmura-t-il. Y'a des hommes là-bas, sur le lac. Ils pagaient dans notre direction pis on veut pas savoir qui ils sont ni ce qu'ils font. Viens-t'en!

Tirant Phoébée par le poignet, James s'accroupit et s'engagea dans le sentier. Il courait le plus vite qu'il pouvait, Bernard sur ses talons. Phoébée ne disait mot et n'essayait pas de se libérer, même si son poignet la faisait souffrir. Elle mettait toutes ses énergies à éviter les branches basses et à ne pas trébucher sur les pierres et les racines.

Quand ils eurent mis une bonne distance entre les hommes et eux, James ralentit et Phoébée se défit de sa poigne.

— Merci, dit-elle d'un petit ton guindé. Je peux très bien marcher sans que tu me tiennes la main.

— N'aie pas peur. J'ai pas l'intention de m'occuper de toi, pis j'te l'dis tout de suite, j'traîne pas cet ours-là jusqu'au Canada. Dis c'que tu veux, j'traîne pas d'ours au Canada.

— Ce ne sera pas nécessaire, répliqua Phoébée, tout aussi indignée. Si tu veux aller au Fort Saint-Jean, vas-y. Tu n'as pas à t'occuper de Bernard ou de moi. On peut très bien trouver notre chemin tout seuls, comme on le fait depuis trois semaines.

Et elle était très sérieuse. Du moins, le souhaitait-elle. Elle ne voulait pas devoir quoi que ce fût à ce garçon en colère, qui ne lui faisait pas confiance.

— Ben, fais c'que tu veux, mais c'est pas le meilleur temps pour te promener seule dans les bois.

James lui tourna le dos et, comme elle allait lui répliquer, il se remit en marche.

Phoébée était fatiguée et affamée, et elle ne s'était jamais sentie aussi seule de toute sa vie. Pas même quand son père était mort ou que Gidéon avait été pendu ou qu'Anne l'avait rejetée. Pas même quand elle avait atteint la source du ruisseau à la Truite et qu'elle avait pensé être perdue pour toujours. Pour l'instant, tout ce que semblait lui offrir la vie, c'était de suivre ce garçon irritant. Et si elle le suivait jusqu'à l'endroit où campaient sa mère et la famille Anderson, elle trouverait probablement un peu de réconfort et de bonté. Elle n'avait pas du tout envie de repartir seule. Elle lui emboîta donc le pas, Bernard, comme toujours, sur ses talons.

Ils n'avaient pas aussitôt repris la route qu'une silhouette sombre s'abattit sur les épaules de Phoébée. Des griffes passèrent au travers de sa tunique et se plantèrent dans sa chair. Elle hurla. James pivota rapidement.

— D'où est-ce qu'il vient, ce chat-là ? beugla-t-il.

Phoébée regarda nerveusement autour d'elle pour constater si le bruit qu'ils avaient fait n'avait pas attiré l'attention. James baissa le ton de sa voix jusqu'à un murmure enragé.

— J'traîne pas de chat non plus. T'as pas assez de ton ours ? Tu m'as pas dit que t'avais un chat, dit-il en soupirant exagérément. D'où est-ce qu'il vient ?

— De la maison. Il m'a suivie.

— Il a un nom, lui aussi ?

— Il s'appelle George.

— George ? Comme George Washington, j'suppose ?

— Non, on l'a baptisé comme ça à cause de…

— D'un bonhomme à l'air idiot avec des cheveux rouges et des moustaches ?

— Non, à cause de ses oreilles et de la façon dont ses yeux vous fixent.

Phoébée agrippa George et le secoua.

— George, tu m'as fait tellement peur, j'ai cru devenir folle. Je pensais que c'était un lynx.

George bondit par terre.

— T'as d'autres membres de ta famille qui te suivent comme ça, à travers les montagnes ? Un gentil p'tit serpent à sonnette, peut-être ?

Sans rien ajouter, James se remit en route d'un pas furieux.

— James Morrissay, dit timidement Phoébée.

Il ne répondit pas. Il accéléra et Phoébée dut courir pour le rattraper.

— James Morrissay.

Il ne répondit pas.

— James Morrissay, tu vas dans la mauvaise direction. Tu nous amènes vers l'est.

— Je suis le sentier.

— Il y avait une bifurcation, un peu plus tôt.

— Hein ?

— Le sentier. Il bifurquait vers l'est. C'est cette direction-là qu'on a prise.

Il la regarda d'un air suspicieux.

— Pourquoi je t'induirais en erreur ? Regarde les arbres.

Elle lui montra où poussait la mousse et pointa une rangée de trous faits par des pics, qui indiquaient clairement l'est. Sans un mot de remerciement, il rebroussa chemin jusqu'à la bifurcation. De là, ils empruntèrent le sentier qui montait vers le nord. Jusqu'à ce qu'ils entendissent des voix venant dans leur direction. Ils se cachèrent dans d'épais buissons, non loin du sentier, et regardèrent passer deux hommes et une femme, qui parlaient fort et gaiement de la défaite cuisante qu'ils avaient infligée au bon vieux gentleman Johnny et à ses Tuniques rouges, à Saratoga et à Freeman's Farm. Quand ils eurent disparu, Phoébée et James se remirent en marche.

En une heure, ils atteignirent la route militaire, près de Chimney Point. Là, ils quittèrent l'étroit sentier et entrèrent dans la forêt afin d'éviter la route et les ruines incendiées de l'ancien village français, qui donnèrent son nom à Chimney Point.

— Y'a juste des décombres pis cette vieille cheminée[8]... mais Dieu sait qui se cache ici, dit James.

Malgré la menace constante de chutes de neige, l'air n'était pas trop froid, et Phoébée se sentait plutôt bien alors qu'elle marchait en silence et en cadence. Elle était ravie qu'il n'y eût pas de hautes montagnes près du lac Champlain. Et elle était toujours aussi ravie de ses leggings et de sa tunique en peau de daim, qui ne s'accrochaient pas dans les buissons et les ronces qu'elle repoussait sur son passage. La piste qu'ils suivaient était sombre et odorante. Les pins et les épinettes jetaient des ombres denses sur les branches dénudées des feuillus, et le parfum épicé des conifères saturait l'air humide des abords du lac. Les pensées de Phoébée étaient accompagnées par les petits animaux détalant à leur odeur ou encore au bruit de leurs pas ; par Bernard et George reniflant le sol derrière elle ; par les geais lançant leurs cris discordants ; et par le chant flûté des mésanges et des roitelets.

La jeune fille tentait de comprendre et de donner un sens à tout ce qui venait de se passer. À partir du moment où James lui avait dit qu'il n'y avait plus personne au fort, la pensée qu'elle avait été stupide – une fois de

---

8. N.D.L.T. En anglais, cheminée se dit *chimney*.

plus – avait lentement monté en elle pour finalement la submerger. Comment avait-elle pu croire un instant que, seule et ignorant tout des batailles et des mouvements de troupes, elle remplirait la mission d'un soldat? Si seulement elle était restée à Orland! Elle savait que les crises d'hystérie d'Anne ne duraient jamais; elle aurait pu les affronter et les oublier. Anne et elle pourraient être en train de se réconforter devant l'âtre avec tante Rachel, oncle Joshua, Noé et Jédéas. Non, au lieu de ça, elle suivait un étrange garçon à travers la forêt, un garçon qui, s'il disait vrai, pouvait faire partie d'une des trois familles qu'elle s'était engagée à sauver... mais trop tard. La conscience de ce qu'elle avait abandonné pour ce qu'elle considérait maintenant comme de la pure démence lui fit l'effet d'une chape de plomb sur l'âme et le corps.

Quand ils eurent dépassé les ruines de Chimney Point, James prit la tête du convoi, en direction de la piste du bord du lac, même si, marmonna-t-il, il n'était «probablement pas le meilleur des guides». Toutefois, avant de s'engager sur la piste qui montait vers le nord et s'éloignait du lac, ils dévalèrent la pente et se désaltérèrent dans le grand plan d'eau. Phoébée plaça ses mains en coupe et but jusqu'à ce que l'eau lui coulât sur le menton. James plongea sa tête dans le lac et but à la manière des chevaux. Il essuya son visage avec sa main puis s'assit sur ses talons. Il observa Bernard avancer dans l'eau et George renifler les berges. Il regarda ensuite Phoébée, un sourcil relevé.

— T'as un nom ? lui demanda-t-il.

Cela faisait si longtemps que quelqu'un lui avait posé cette question que Phoébée le regarda, l'air étonné.

— Tu dois bien avoir un nom, continua-t-il.

— Je m'appelle Phoébée Olcott.

— Et tu viens de l'autre côté des montagnes ?

— Oui, des rives du fleuve Connecticut.

— C'est pas à la porte.

— Non.

— Ben, maîtresse Phoébée-Olcott-de-l'autre-côté-des-montagnes, j'sais pas c'qui t'a amenée par ici, mais il faudrait se remettre en route, dit-il en se levant. Même si j'aimerais ben mieux pas avoir à traîner l'ours... pis l'chat non plus, d'ailleurs.

— Ils suivront.

— Le contraire m'aurait étonné. Allez !

Environ une heure plus tard, alors que la journée était déjà bien avancée et que le ciel s'était assombri, Phoébée entendit des voix devant eux. James ralentit et fit signe à Phoébée de faire de même. Il tira son couteau de chasse de sa gaine, s'accroupit, regarda de chaque côté et avança avec précaution. Phoébée le suivit de près. Au fur et à mesure de leur progression, les voix se firent plus fortes, plus distinctes.

— J'entends des vaches, murmura James.

Ils se redressèrent et, quelques minutes plus tard, ils atteignirent l'orée d'une vaste clairière. Phoébée aperçut plusieurs feux de camp autour desquels des gens étaient rassemblés ainsi que des chars et quelques vaches.

— Les voilà! dit James. Y'a beaucoup plus d'monde que j'pensais. Viens, j'vois ma mère, là-bas.

Il sortit du couvert des arbres et s'engagea dans l'espace en friche. Phoébée le suivit nerveusement, moins sûre tout à coup de l'accueil chaleureux qu'elle avait anticipé.

Une grande fille se tenait près d'un feu, à moins d'un mètre de Phoébée. Elle lui tournait le dos, mais quelque chose dans son maintien, dans la découpe de ses épaules et de ses longs cheveux brun clair tombant sur son châle rose fit bondir le cœur de Phoébée.

— Anne? murmura-t-elle. Anne Robinson?

La grande fille se retourna. Ses yeux et sa bouche s'ouvrirent tout grands.

— Phoébée! cria-t-elle.

Et elle s'évanouit.

8

Anne

Au son du cri d'Anne, tante Rachel accourut. Elle se jeta vivement au sol et posa la tête de sa fille sur ses cuisses, regardant autour d'elle pour comprendre ce qui avait bien pu se passer. Elle aperçut Phoébée. Elle porta sa main à sa gorge. Ses yeux s'écarquillèrent. Puis tout son visage s'éclaira. Au même moment, une grande femme corpulente apparut avec un chaudron plein d'eau dont elle aspergea rudement le visage d'Anne.

Celle-ci crachota et se remit difficilement sur ses pieds avec l'aide de tante Rachel. Un instant plus tard, elle apercevait de nouveau Phoébée.

— Tu es morte! cria-t-elle. Tu es morte. On a vu une squaw qui portait la cape de ta mère. On l'a vue!

La voix d'Anne s'était perchée sur cette note hystérique que Phoébée connaissait si bien. Soudain, la jeune fille réalisa que, pendant tout ce temps, elle s'était cramponnée au bras de James Morrissay. Elle desserra rapidement son étreinte et fit un pas en avant.

— C'était la sœur de Peter Sauk. Je lui ai donné ma cape. Je…

Sa voix se perdit. Elle était intimidée, mal à l'aise. Dans la nuit qui tombait, il lui semblait qu'une centaine de personnes s'étaient rassemblées autour d'Anne. Éclairées par la lumière vacillante des feux dispersés çà et là, elles avaient l'air menaçantes.

— Je… elle… nous avons échangé nos vêtements. Tu vois, je porte sa tunique et ses leggings.

Elle pointa nerveusement sa tunique et se rapprocha de James. Anne ne sembla pas l'entendre. Accrochée à sa mère, l'eau lui dégoulinant encore du visage, elle cria :

— Tu es un fantôme! Un fantôme! Tu es venue me hanter à cause de toutes ces choses que je t'ai dites quand Gidéon est…

Elle se mit à pleurer pitoyablement.

— Anne.

Phoébée courut en direction de sa cousine et l'étreignit. À son contact, Anne se mit à hurler et la repoussa.

— Va-t'en! Va-t'en!

— Pour l'amour de Dieu, arrête-moi ça! Un borgne verrait que c'est pas un fantôme.

Un homme court et corpulent s'était avancé devant la foule en jouant du coude. Il secoua Anne par le bras, qui cessa immédiatement de pleurer. Dans le silence retrouvé, une voix d'enfant chanta:

— C'est pas un fantôme, c'est pas un fantôme, c'est mon frè-re!

Une petite fille se détacha d'une femme aux cheveux roux, qui se tenait derrière Rachel, et se jeta sur James. Il la prit dans ses bras et sourit à la femme rousse.

— J't'ai amené d'la compagnie, m'man, dit James en jetant un coup d'œil à la ronde. Même si j'constate que t'en avais pas besoin. Elle dit qu'elle vient de l'autre côté des montagnes. Elle s'appelle Phoébée Olcott.

— Elle est morte! C'est un fantôme! hurla de nouveau Anne.

— Je ne suis pas un fantôme, dit Phoébée.

— C'est assez, ma fille, dit en même temps tante Rachel. Tu peux très bien voir que Phoébée n'est pas un fantôme.

Rachel attira Phoébée à elle et la tint serrée contre son cœur.

— Merci. Merci à la Providence qui t'a fait arriver jusqu'à nous. Plus tard, quand nous aurons soupé, nous parlerons. Maintenant, mon enfant, viens avec moi. Viens aussi, Anne.

Phoébée obéit. Le choc de revoir Anne et tante Rachel avait été aussi grand, sinon plus, que celui qu'elle avait eu, le matin, en apprenant qu'elle ne pourrait pas remettre le message de Gidéon au général Powell. Sa pensée allait à toute vitesse. Que s'était-il passé ? Comment étaient-ils arrivés sur les rives du lac Champlain ? Et pourquoi étaient-ils là ? Malgré l'obscurité, elle vit à quel point sa tante était exténuée et que son allure, d'ordinaire très soignée, se réduisait à une robe tachée. Néanmoins, comme elle semblait être la femme gentille, calme et décidée qu'elle avait toujours été, Phoébée se sentit rassérénée.

— Non, dit Anne en barrant le passage à sa mère.

Elle refusait de regarder Phoébée. Sa voix tremblait.

— J'aimerais qu'elle soit morte. Elle devrait être morte. C'est sa faute si nous sommes ici et que nous n'avons nulle part où aller. C'est sa faute si Gidéon est mort. C'est une traîtresse. Son père s'est battu avec les rebelles, à Boston. Elle s'est enfuie tout de suite après que Gidéon a été tué. Et que fait-elle, toute seule dans les bois ? Phoébée Olcott a trop peur de tout ce qui bouge pour s'aventurer seule en forêt. Je ne crois pas qu'elle soit seule. Il y a d'autres gens, d'autres comme elle qui attendent de nous massacrer tous ! C'est une traîtresse comme son père ! Fais-lui avouer !

Pendant un instant, le silence fut si intense que le hurlement aigu d'un loup fit l'effet d'un écho lugubre aux paroles d'Anne. Il faisait maintenant trop noir pour distinguer clairement les visages, mais, à la lumière des feux, Phoébée voyait les gens remuer, s'agiter. Elle les sentait se rapprocher d'elle, lentement. Elle entendait leurs grommellements sourds.

— Non ! cria-t-elle. Ce n'est pas vrai. Je ne suis pas une traîtresse. Tante Rachel, je te jure que non. James ?

Il s'éloigna d'elle.

— Tu devais rire dans ta barbe quand j'te racontais tout c'que les rebelles nous ont fait, dit-il âprement.

Le murmure de colère qui montait de la foule était maintenant audible. Un homme s'avança, bâton à la main. Phoébée crut que son cœur allait cesser de battre. Elle se figea sur place.

— Non ! cria-t-elle de nouveau. Anne ? Tante Rachel ?

Elle s'arrêta, déshydratée, incapable d'articuler. Rachel s'approcha d'elle et passa vivement son bras autour de ses épaules. Elle se retourna et fit face à la masse de gens agglutinés.

— Nous sommes tous dans le même bateau, dit-elle. Ce n'est pas le temps de se braquer contre les nôtres. Ne savons-nous pas tous ce que cela veut dire ? Phoébée n'est pas une traîtresse. Je le sais, affirma-t-elle en lançant un regard à la ronde et en resserrant son étreinte autour des épaules de sa nièce. Viens, nous allons te trouver quelque chose à manger et un endroit pour dormir. Personne ne te fera de mal.

— Mère !

— Anne, les crises d'hystérie sont finies pour ce soir.

Anne n'ajouta rien, mais jeta un regard mauvais à sa cousine. Apeurée, Phoébée se colla contre sa tante. Toute la nuit durant, ce regard lui fit faire d'horribles cauchemars.

Phoébée se laissa guider à travers la foule hostile jusqu'au feu autour duquel Jédéas, Noé et leur père dormaient profondément. Encore secouée par les derniers événements, elle se tenait devant eux et observait leurs visages avec un air de complète stupéfaction, lorsque quelqu'un cria : «Un ours !» Elle leva la tête et aperçut Bernard qui courait dans sa direction, aussi vite que son poids le lui permettait ; George trottinait à ses côtés. Un enfant cria. Des hommes sortirent leur mousquet. Phoébée courut vers Bernard.

— Ne faites pas ça ! hurla-t-elle. C'est un orphelin. Il ne fera de mal à personne. Je vous en prie !

Elle se jeta au cou de l'ours. Désormais, elle n'avait plus peur pour elle-même. Elle ne pensait qu'à une chose : personne ne tuerait son Bernard.

Étonnamment, James s'avança.

— Laissez l'ours tranquille, dit-il d'un ton bourru. Mais vous gênez pas pour abattre ce braillard de chat, grommela-t-il en prenant sa petite sœur par la main et en s'éloignant.

Épuisées, les familles se dispersèrent pour aller se serrer chacune autour de son feu, feux qui seraient entretenus toute la nuit pour éloigner les loups et les lynx. Mais pas les cauchemars.

9

Le campement

Phoébée se réveilla juste avant le lever du soleil. Elle s'assit et regarda autour d'elle. Elle avait dormi sous un énorme pin, couchée sur un lit d'aiguilles souples. Les longues et grosses branches vertes l'avaient protégée du vent et de la neige, qui avait saupoudré les environs au cours de la nuit. Des petits groupes de personnes dormaient autour des braises des différents feux de camp, entre les souches. Tante Rachel, oncle Joshua et les garçonnets étaient blottis sous un édredon piqué, à moins d'un mètre de Phoébée. Enveloppée dans sa cape, Anne leur tournait le dos.

Dans la lumière tamisée de l'aube, Phoébée constata qu'il n'y avait pas autant de gens qu'elle l'avait cru, le soir précédent. Elle compta sept feux de camp, incluant celui des Robinson, et pas plus de vingt-cinq personnes.

Elle frissonna en repensant à la terreur qui l'avait envahie lorsqu'ils s'étaient avancés vers elle dans la demi-pénombre du début de soirée. «Ils me haïssent tous, pensa-t-elle. Ils croient que je suis une rebelle et une espionne. Je dois partir. Je ne dois pas demeurer avec eux.» Près d'elle, Rachel remua. Malgré la quiétude de son sommeil, ses traits racontaient les soucis et les peines qu'elle avait dû surmonter, et Phoébée sut qu'elle ne les quitterait pas comme ça, sans un mot. Pas une autre fois.

«Tu n'as pas pensé qu'ils s'inquiéteraient?» lui avait demandé Peter Sauk. Et la nuit passée, avant qu'elle ne s'enroulât dans la couverture de Katsi'tsiénhawe à côté de Bernard et de George, sa tante l'avait prise dans ses bras. «Ce que Anne a dit est vrai, avait-elle murmuré. Nous pensions tous que tu étais morte.» Et Rachel Robinson, qui n'avait pas pleuré à la mort de Jonathan Olcott ni même à celle de Gidéon, du moins nulle part où on eût pu la voir, avait eu la voix entrecoupée par l'émotion et, encore plus ahurissant, avait embrassé sa nièce sur la joue. Tante Rachel était si retenue que Phoébée ne se souvenait que d'une seule fois où elle lui

146

avait montré un signe physique d'affection : elle l'avait entourée de son bras devant le cercueil de Gidéon.

Anne avait refusé de parler à sa cousine ou même de la regarder. Quand sa mère avait donné à Phoébée une portion de haricots bouillis qu'elle avait cuisinés un peu plus tôt pour sa famille, Anne s'était éloignée et n'était revenue que lorsque Phoébée avait été couchée. Cela n'avait toutefois pas empêché Phoébée et Rachel, malgré la fatigue qui les abattait toutes deux, de parler jusque tard dans la nuit. Aussitôt qu'elle avait été installée autour du feu de camp des Robinson, Phoébée avait su qu'elle devait raconter sa rencontre fortuite avec Gidéon, à Hanovre, tout comme elle devait parler du message trouvé dans l'arbre creux, qui avait été le déclencheur de son périple à travers les montagnes Vertes du Vermont jusqu'au Fort Ticonderoga. Quand elle arriva à la fin de son récit, Rachel n'avait dit mot depuis si longtemps que Phoébée craignit qu'elle ne dît plus jamais rien. Mais ce ne fut pas le cas. D'une voix basse et chargée de larmes, Rachel avait dit :

— Gidéon ! Depuis sa plus tendre enfance, il n'y a jamais eu moyen de le faire renoncer à ses volontés et à ses désirs. Je me souviens très bien, il avait trois ans à l'époque, qu'il avait catégoriquement refusé de manger le pain d'épice de ta mère dont il raffolait parce que nous ne voulions pas en donner à notre vieux beagle, qui ne le digérait pas. Alors que personne ne le surveillait, Gidéon avait réussi à donner sa portion au chien, qui vomit violemment presque aussitôt. Ce qui comptait pour lui, il le faisait, quelles qu'en fussent les conséquences. Il partait dans le bois pour ramasser ses plantes, sans penser aux corvées qu'il devait faire. Il est parti se battre pour le roi contre nos convictions les plus profondes, à son père et à moi. Et il est rentré à la maison pour revoir sa Pauline, peu importe le risque. J'aurais dû savoir. Je suppose que je savais qu'en partant pour la guerre, il ne reviendrait jamais à la maison.

Elle avait agrippé la main de Phoébée.

— Je sais que Dieu ne souhaite pas que nous succombions aux épreuves de la vie, Phoébée, mais parfois ces épreuves semblent plus qu'un corps puisse supporter. La perte de mon cher fils…

La voix de Rachel s'était pratiquement éteinte et Phoébée n'avait pu entendre la suite. Puis elle avait retrouvé un peu de vigueur et une pointe d'humour l'avait égayée :

— C'était, sans l'ombre d'un doute, une âme obstinée, notre Gidéon, avait-elle dit en serrant la main de Phoébée. Tout comme toi, d'ailleurs. Je ne comprends pas ce qui a pu te motiver à partir toute seule à travers les montagnes, sans confier à qui que ce soit ce que tu avais trouvé et ce que tu comptais faire. Tu as toujours été une enfant si craintive, Phoébée. Pourquoi? Pourquoi ne nous as-tu rien dit?

Tenant sa main bien serrée, Phoébée avait fixé sa tante droit dans les yeux, la douleur qu'ils contenaient étant encore plus évidente à la lumière du feu. Hésitante, elle lui avait confessé que, dès qu'elle avait accepté de porter la lettre à Pauline Grantham, elle avait su qu'elle n'aurait jamais dû le faire.

— Si je n'avais pas porté cette lettre, Gidéon ne serait pas allé rôder près du village. Il serait vivant et vous ne seriez pas ici, dans cette forêt froide et hostile. Anne avait raison, même si elle ne savait pas pourquoi. Tout est ma faute. Tout.

En prononçant ces mots, Phoébée avait tremblé de détresse et de soulagement, c'est-à-dire autant pour le geste qu'elle avait posé que pour l'aveu qu'elle venait de faire. Rachel l'avait alors entourée de ses bras et l'avait tenue serrée contre sa poitrine.

— Tu ne dois pas croire ça, Phoébée. Ce n'est pas vrai. Gidéon n'aurait pas dû être à Hanovre pour que tu l'y rencontres. Il n'aurait pas dû donner rendez-vous à Pauline. Il n'aurait pas dû non plus te demander de porter sa lettre. Tu n'es pas coupable de ces actes, Phoébée. Tu n'aurais pas dû prendre sur toi de porter le message trouvé dans l'arbre, mais tu étais affligée, et Anne n'aurait pas dû te blâmer pour ce qui est arrivé, mais elle aussi était dévastée par le chagrin.

— Je sais, tante Rachel. Je sais comment est Anne. Seulement, je pensais qu'elle en reviendrait, mais pas du tout : elle croit toujours que je suis une rebelle parce que papa l'était.

Rachel avait soupiré :

— Essaie d'être patiente avec Anne, Phoébée. Sais-tu qu'elle ressemble énormément à ta mère ? Ta mère, qui était aussi ma sœur, était aussi jolie qu'Anne : la même chevelure dorée, les mêmes yeux violets et, je le crains, les mêmes manières coquettes. Et ta mère aussi, pendant que nous y sommes, avait tendance à penser à elle avant de penser aux autres, mais elle était d'une nature aimante, tout comme Anne. Anne adorait son frère et, même si tu en doutes en ce moment, elle t'adore aussi. Je pense que Gidéon et toi étiez un puissant ancrage pour les humeurs changeantes d'Anne. Elle ne l'a pas dit, évidemment, mais je crois qu'elle a été très peinée que Gidéon n'ait pas trouvé le moyen d'aller la voir quand il s'est faufilé dans le village pour rencontrer Pauline. Et puis tu es partie dans la nuit, sans un mot.

Phoébée comprenait la jalousie. Elle se souvint comment elle s'était sentie quand Gidéon avait dit de Pauline qu'elle était la fille la plus chère à son cœur. Cependant, pour ce qui était du chagrin que son départ avait causé à Anne, elle n'y croyait pas tellement, surtout pas lorsque celle-ci la traitait de traîtresse et refusait de lui parler. Malgré cela, Phoébée n'avait pas répliqué. Elle avait simplement sorti de sa manche la pochette de lin usé contenant le petit papier pelure qui l'avait entraînée aussi loin de la maison. Rachel et elle s'étaient accroupies près du feu, avaient rapproché leur tête et, à la lumière vacillante des flammes, avaient tenté de décoder les mots adressés au général du Fort Ticonderoga, puis lu le message qui parlait des familles loyalistes de New York.

— Ce sont les gens que nous avons rencontrés aujourd'hui même! s'était exclamée Rachel. Peggy Morrissay, sa fille Jeannette et son fils James, le garçon avec qui tu es arrivée ; Abigail Colliver et ses deux petits, et Bertha Anderson et les trois siens. Aujourd'hui même. Comme c'est étrange !

Elle avait alors raconté à Phoébée comment Élieus Pickens et le comité pour la sécurité publique s'étaient présentés à leur porte, la nuit suivant l'enterrement de Gidéon, après qu'ils eurent tous été couchés.

— Je craignais qu'ils ne viennent. Alors, j'avais préparé des provisions et des couvertures, quelques vêtements de rechange, la Bible familiale, une marmite et de la vaisselle. J'ai tout empaqueté dans le gros coffre gravé qui appartenait à ma mère, ta grand-mère. Nous avons attelé le bœuf au char, et ils nous ont laissé prendre une vache. Joshua a un cousin qui vit près de Bennington, de ce côté-ci des montagnes, alors nous avons roulé vers le sud en suivant le fleuve Connecticut jusqu'à Fort Dummer, puis vers l'ouest jusqu'à Bennington, en suivant les cours d'eau à travers la forêt. Nous avons rapidement appris à nous tenir loin des routes. C'est dans les bois que nous avons vu la sœur de Peter Sauk porter tes vêtements. Nous avions trop peur pour nous approcher, et j'imagine que Peter ne savait pas qui nous étions.

— J'aurais souhaité que Peter puisse te parler de moi. Il devait aller te voir, lui avait dit Phoébée.

— Les gens étaient hostiles. Le trajet nous a pris deux longues semaines. Le cousin Robinson n'était pas content de nous voir. En bon croyant, il nous a tout de même accueillis, avait dit tante Rachel qui s'était permis un sourire forcé, en précisant qu'il nous serait impossible de rester. Il a vu à ce que nous nous approvisionnions, mais il a gardé la vache en paiement. Nous sommes donc repartis vers le nord, en évitant les villages et en restant dans les bois, à l'ouest des hautes montagnes. Nous avons rencontré des gens à quelques reprises. Certains étaient gentils, nous offrant même l'abri d'une étable ou d'une vieille cabane, mais la plupart nous ont tourné le dos et plus d'un nous ont conspués et insultés. Une bande de vauriens nous ont même lancé de la boue et des pierres. Nous étions terrorisés. Même Jédéas et Noé étaient atterrés ! Mais le cœur de la Providence était avec nous, car le bruit qu'ils faisaient a alarmé une famille de chevreuils cachée dans les buissons, et les vilains sont partis après eux. Non loin du champ de bataille de Hubbardton, nous avons vu un squelette avec un col brodé argent et suffisamment de restes de tissu écarlate pour identifier un officier britannique. Nous n'avions pas de pelle pour lui offrir une inhumation chrétienne, mais ton oncle a lu un office du *Livre de prières*[9] et nous avons prié pour sa pauvre âme.

« Il y a deux jours, au sud d'ici, près de la rivière Lemon Fair, nous avons rencontré

---

9. N.D.L.T. *The Book of Common Prayer* est le livre du rituel anglican.

Charité Yardley, son fils et son beau-père, Thomas et Marjorie Bother et leur garçon, et Joseph et Lucie Heaton, tous des Vermontois des environs de Bennington qui ont souffert du même sort que nous. Nous avons décidé de voyager ensemble, espérant que le vieil adage "plus on est nombreux, moins il y a de danger" s'avère vrai. Ce matin seulement, nous avons croisé les trois familles de réfugiés new-yorkais. Tous avaient beaucoup souffert. Les époux de deux des femmes se battent dans des régiments loyalistes, et le troisième a été traîné en prison. Un de leurs frères a été pendu devant leurs yeux pour avoir refusé de divulguer les allées et venues de son propriétaire à une troupe de soldats rebelles, et un voisin a été couvert de résine chaude et roulé dans les plumes. »

— Tante Rachel, avait dit Phoébée au bord des larmes, j'aurais dû être avec vous. J'aurais pu vous aider, j'aurais pu t'aider avec les garçons. Ç'a dû être si dur !

— Ce qui est fait est fait, avait répondu fermement Rachel. Maintenant, Phoébée, nous avons assez parlé. Prions et allons nous coucher.

Ensemble, elles avaient incliné la tête, et Rachel avait remercié Dieu pour le retour de Phoébée. Elle Lui avait aussi demandé de bénir leur périple et avait prié pour les âmes de Jonathan Olcott, de Gidéon et de leurs compatriotes, morts au cours de cette guerre.

Phoébée n'avait pu trouver le sommeil tout de suite. Elle s'était étendue à côté de Bernard et de George et avait repensé à tout ce que Rachel et elle s'étaient raconté en écoutant le vent siffler dans les hautes branches du pin, le long hurlement d'un loup, le glapissement d'un renard et le hululement insistant d'un chat-huant. Et maintenant, en cette aube nouvelle, elle pensait à tout ce que la famille Robinson avait enduré. Elle n'était pas totalement rassurée par les paroles de Rachel que tout ce qui était arrivé n'était pas sa faute. Elle savait qu'elle emporterait dans sa tombe la certitude que, si elle n'avait pas remis la lettre à Pauline, Gidéon ne serait probablement pas mort, et tante Rachel, oncle Joshua, Anne, Jédéas et Noé seraient probablement encore à Orland. Elle entendait sans cesse dans sa tête les paroles hystériques d'Anne, paroles qu'elle avait hurlées quand ils s'étaient tenus près de l'arbre de la liberté où pendait le corps de Gidéon, paroles qu'elle avait hurlées hier soir encore : « C'est ta faute ! Tu es une traîtresse ! Tu devrais être morte ! »

Une traîtresse. Les Vermontois et les familles loyalistes de New York qu'elle avait échoué à sauver croyaient qu'elle était une rebelle, une espionne, une traîtresse, elle, une fille qui n'avait pas encore quinze ans. Et s'ils le croyaient vraiment, la pendraient-ils aussi rapidement et sans autre forme de procès que les hommes qui avaient pendu Gidéon? Elle ravala une boule de peur et serra les poings. Comme ils haïssaient les rebelles pour ce qu'ils leur avaient fait! Comment pouvait-il en être autrement? Mais elle n'était pas une rebelle… ni une loyaliste non plus.

« Je ne sais pas ce que je suis », pensa-t-elle tristement.

Elle se força à prendre quelques longues et profondes respirations. Lorsqu'elle fut apaisée, elle s'appuya contre l'arbre et étudia les alentours. Dans la lumière du matin, la petite clairière d'à peine cinquante mètres de large s'étalait devant elle. À l'est, entre un ruisseau et un marécage de pruches et de cèdres, se trouvait un espace dégagé; au sud, le terrain en friche était protégé par une petite colline; et, à l'ouest et au nord, s'étendaient les bois par lesquels James Morrissay et elle-même étaient arrivés, la veille. De toute évidence, la clairière encore parsemée de grosses souches avait été dégagée de main d'homme, et vraisemblablement par quelqu'un qui voulait s'y installer, mais qui s'était découragé à cause du sol marécageux.

Au pied de la colline, un étroit chemin à côté duquel étaient stationnés quatre chars à bœufs montait vers le nord. Tout près, quatre bœufs et deux vaches se tenaient sur le sol gelé, impassibles. Phoébée jeta un coup d'œil à Bernard et à George, qui dormaient près d'elle. Du réconfort émanait de ces deux bêtes, inconscientes des misères et des soucis que se faisaient les gens.

Dans la douce lumière de l'aube, les silhouettes des souches irrégulières étaient floues. La mince couche de neige et de gel sur les herbes hautes, et les feuilles mortes sur les buissons de sumac et de chèvrefeuille aux abords du marécage miroitèrent dans les premiers rayons du soleil. Non loin d'elle, un pic se mit à frapper un arbre de son bec. Immobile, Phoébée le chercha des yeux dans le mélèze au pied duquel tante Rachel reposait. Phoébée ne vit pas l'oiseau piqueur, mais remarqua que le mélèze avait perdu ses aiguilles dorées. L'hiver n'était plus très loin.

Près d'un feu, de l'autre côté de la clairière, un homme frêle se leva et claudiqua jusque dans les bois. Bernard grogna et roula aux pieds de Phoébée. George se leva, bâilla, s'étira, jeta un coup d'œil à son ami l'ours et s'éloigna. Phoébée avait besoin, elle aussi, d'aller faire son pipi matinal dans la forêt. Et de se laver, par le fait même. Elle se languit du bain de cuivre de tante Rachel devant le foyer de la cuisine, même si, réalisa-t-elle avec un certain étonnement, elle s'était accoutumée à vivre dans les leggings et la tunique de Katsi'tsiénhawe et qu'elle ne se sentait quasiment plus sale.

D'autres personnes commencèrent à remuer. Près des chars à bœufs, une grosse femme vêtue d'un énorme surtout vert – celle qui avait ramené Anne à ses sens en l'aspergeant d'eau – se leva. Elle enfonça un chapeau de feutre à larges bords par-dessus sa charlotte[10] débraillée et se mit à gueuler des ordres à de jeunes enfants, qui s'agitaient autour des cendres de son feu de camp.

— Johnny, va chercher une cruche d'eau. Betsie, laisse cette enfant-là tranquille. Qu'est-ce que t'as encore à chigner, Lili ? J'pense que tu m'as été refilée juste pour voir si j'étais capable de devenir une sainte.

Sa voix était non seulement forte, mais dure, aussi. Elle réveilla tout le monde dans le campement. Une fillette se mit à pleurer. La femme lui donna une claque et la mit rudement sur ses pieds. Elle regarda Phoébée.

— Hé, toi, la fille à l'ours ! cria-t-elle. Viens m'donner un coup d'main avec les p'tits. Tu ferais mieux de t'rendre utile. Y'a pas d'place pour les paresseux dans notre caravane.

---

10. N.D.L.T. Bonnet de femme.

Prise de court, Phoébée ne put refuser. Elle jeta un coup d'œil à Jédéas et à Noé encore endormis, puis se dépêcha de rejoindre la femme, de l'autre côté du campement.

— Prends-la ! lui ordonna la femme. Prends-la et emmène-la. J'ai pas l'temps d'surveiller tout c'que ces enfants-là font. Espionne ou pas, j'pense pas que tu vas faire des misères aux p'tits. Maintenant, Betsie, t'es à moi.

Elle se pencha et tira une autre fillette des replis de son grand surtout vert. Phoébée prit la petite geignarde par la main.

Sans cesser un instant de gémir, l'enfant jeta un coup d'œil féroce à Phoébée et retira brusquement sa main de la sienne. Phoébée la prit dans ses bras. La petite fille se débattit et gémit encore plus fort. Mais Phoébée était plus grande qu'elle et les quelques semaines passées en forêt l'avaient rendue non seulement mince mais forte. Elle porta l'enfant jusqu'à un endroit où ses coups de pied n'atteindraient personne.

— C'est assez, maintenant ! dit-elle fermement en remettant la fillette sur ses pieds.

À trois ou quatre ans à peine, Lili était maigre mais déterminée. Phoébée dut donc la retenir vigoureusement, soulagée malgré tout que la fillette eût cessé de pleurer.

— Viens. Nous allons faire disparaître les traces de larmes sur ton visage.

— J'veux pas.

— Veux-tu retourner te battre avec ta sœur?

— C'est pas ma sœur.

— Veux-tu retourner te battre avec elle quand même? lui demanda Phoébée, qui perdait patience.

— Nan!

À ce moment-là, Jédéas et Noé Robinson foncèrent droit sur Phoébée, les bras tendus vers elle. Ils l'attrapèrent chacun par une jambe et la firent presque tomber à la renverse.

— Phoébée! cria Noé. Tu sais pas où on est allés. Tu sais...

— C'était comme dans ton livre de Robinson Crusoé, l'interrompit Jédéas. On a...

— ... on a roulé dans un char et là, on a marché, marché, marché et on...

— ... on a vu le cousin de papa. C'était...

— ... c'était un vieux monsieur horrible, mais...

— ... mais on n'est pas restés là longtemps parce qu'on aimait mieux le char, mais Anne pleurait, pleurait et...

— Holà, les garçons! dit Phoébée en élevant la voix pour les faire taire. Je suis contente de vous voir. À présent, nous sommes tous réunis.

Elle s'agenouilla devant eux et les serra dans ses bras.

— On pensait que t'étais morte. Papa a dit plein de prières, et maman a dit que t'étais avec Gidéon, et Anne a dit qu'elle…

— Et Phoébée, Phoébée, Gidéon a été pen…

— Je sais, Jédé, je sais.

— À moi, dit soudain Lili en donnant une vigoureuse poussée à chacun des garçons. À moi, répéta-t-elle.

Elle enroula ses jambes et ses bras autour de Phoébée. Les garçons trouvèrent le jeu intéressant et commencèrent à grimper sur le dos de leur cousine.

— Les garçons, ça suffit ! cria-t-elle en essayant de donner à sa voix un ton sévère, mais elle était trop heureuse de les voir et elle éclata de rire.

Elle tenta de les faire descendre par tous les moyens. Finalement, elle trouva le mot magique :

— Déjeuner ! cria-t-elle.

Les garçonnets glissèrent aussitôt de sur son dos, mais la petite Lili n'abandonnait pas si aisément. Elle serra ses jambes autour des chevilles de Phoébée et entoura ses genoux de ses bras.

— C'est assez ! lui ordonna Phoébée.

Lili était si petite et si grêle que ses jambes et ses bras n'étaient pas plus gros que des barreaux de chaise. Vêtue d'une vieille jupe de lin et de laine grise qui avait appartenu à une enfant beaucoup plus grande qu'elle, d'un gilet d'homme à boutons qui lui descendait aux chevilles et d'une chemise dépenaillée, elle était si pathétique que Phoébée ne pouvait pas être trop dure avec elle.

— Tu es comme un petit liseron, Lili, enroulée comme ça autour de mes chevilles. Comment je vais faire pour marcher, maintenant ?

Lili la regarda sans broncher. Noé agrippa la main de Phoébée de façon possessive.

— C'est NOTRE cousine, déclara-t-il.

Avec sa main libre, il essaya de repousser Lili. Au même moment, Bernard arriva et plaça son museau noir et froid entre Lili et la jambe de Phoébée. La fillette poussa un cri perçant. Elle tenta frénétiquement de grimper plus haut sur la jambe de Phoébée, qui la souleva dans ses bras.

— Il ne te fera pas de mal, dit-elle pour la calmer. Il s'appelle Bernard. Va-t'en, Bernard ! dit-elle impatiemment en lui donnant une poussée. Va retrouver George.

Bernard fit fi de ses ordres et se frotta gaiement contre ses jambes. Lili se remit à geindre, et Jédéas et Noé reculèrent nerveusement. Puis les deux petits garçons se mirent à courir lentement en cercle autour de Phoébée et de Lili, en se rapprochant de plus en plus de l'ours. Deux autres garçons avaient quitté leur feu de camp et les observaient à distance. Phoébée reconnut le frère de Lili, Johnny. Le petit groupe progressa de cette façon en direction du feu de camp des Robinson où tante Rachel, penchée au-dessus d'une marmite, préparait le déjeuner. Partout, les gens remuaient les braises et préparaient à manger. Des odeurs de fumée, de poisson bouilli et de café aux racines de pissenlit emplirent graduellement l'air frais.

Soudain, il y eut du brouhaha près des chars, à l'orée du bois. Quelqu'un cria d'une voix perçante :

— Dieu du ciel ! Qu'est-ce que je vais bien pouvoir faire, à présent ?

Tante Rachel laissa tomber la louche dans la marmite et partit à la course. Phoébée la suivit, Lili cramponnée à elle. Un petit cercle de personnes s'était déjà formé autour d'un vieil homme étendu sur le sol. Ses yeux étaient clos. Un garçon était affalé par-dessus lui, une béquille dans une main ; l'autre béquille gisait sur le sol, cassée. Une femme dont les cheveux gris et fins pendaient de chaque côté de son visage déformé par l'angoisse se tenait près d'eux. Elle agitait les mains en gémissant : « Qu'est-ce que je vais bien pouvoir faire ? Qu'est-ce que je vais bien pouvoir faire ? »

Une femme aux cheveux roux, que Phoébée reconnut comme la mère de James Morrissay, s'était agenouillée et soulevait le garçon. Tante Rachel s'approcha pour l'aider à relever le vieillard et, ce faisant, jeta un rapide coup d'œil à la foule et aperçut Phoébée.

— Tiens, Phoébée, lui dit-elle, occupe-toi du garçon.

Le regard de Phoébée alla de tante Rachel à l'enfant qu'elle tenait dans ses bras.

— Descends, Lili, dit-elle à la fillette soudée à elle.

— Non, dit Lili en reniflant.

L'heure n'était plus à la patience. Phoébée dénoua les petits bras autour de son cou. Elle tint l'enfant étonnée par la taille et la regarda droit dans les yeux.

— Tu descends, tu restes là et tu ne bouges pas.

Elle posa Lili sur le sol, qui resta plantée là, immobile et silencieuse. En trois pas, Phoébée était à côté du garçon. Elle lui tendit le bras. Il le prit et la laissa le relever et le guider à travers la clairière jusqu'au pin où elle avait passé la nuit.

— Tu peux t'asseoir sur ma couverture, si tu veux, lui offrit-elle.

Il lui lança un regard méfiant et tourna la tête.

— Tu penses que je te veux du mal?

Elle sentit la brûlure des larmes sur ses yeux. Même cet enfant malade se méfiait d'elle.

— C'est pas ça. C'est mon grand-père, dit le garçon, la gorge serrée.

Phoébée tendit la main pour toucher son épaule fine. Il la repoussa. Il s'adossa à l'arbre et, sous le couvert de rajuster ses culottes, il massa sa jambe faible.

— Jonas! Jonas! Pourquoi t'étais couché sur ton grand-père?

Lili n'était pas demeurée plus d'une minute à l'endroit où Phoébée l'avait déposée. Ses yeux brillaient d'excitation.

— Pourquoi tu me poses des questions? répliqua le garçon qui se tourna vers Phoébée. S'il te plaît, mon grand-père...

— Mais pourquoi toi? poursuivit Lili en s'agitant devant lui.

— Allez, ouste, espèce de petit crapaud galeux! marmonna-t-il pendant qu'il continuait à frotter subrepticement sa jambe.

Phoébée observa le garçon avec anxiété. Elle remarqua que ses deux jambes étaient très minces, mais que la droite était croche.

Sous la masse de cheveux noirs hirsutes, le visage de Jonas était aussi gris que celui de son aïeul. Phoébée s'agenouilla pour examiner sa jambe, même si elle n'avait pas la moindre idée de ce qu'elle devait regarder.

— Laisse-la, murmura-t-il en déplaçant sa jambe. S'il te plaît… mon grand-père…

Il ne pouvait en dire plus, mais l'agonie qu'elle lisait dans ses yeux était éloquente.

— Je vais voir comment il se porte, dit Phoébée en se levant. Attends-moi ici.

Le grand-père de Jonas était assis, appuyé sur l'un des chars. Son visage n'avait pas retrouvé ses couleurs et sa respiration était lourde. Il se releva avec grande difficulté, alors que tante Rachel, la mère de James et celle de Lili insistaient pour qu'il avalât du bouillon de poisson. La femme aux cheveux gris continuait de se lamenter :

— Comment Dieu peut-il punir ainsi une pauvre veuve ? Jetée dans la nature froide et hostile avec un enfant infirme et un beau-père âgé pour la protéger, et à présent, le vieil homme est malade. Oh ! mon Dieu, que dois-je faire ? se plaignit-elle d'une voix aiguë.

Elle regarda autour d'elle comme pour y découvrir la personne responsable de ses maux. Quelque chose dans son visage pincé et mécontent disait à Phoébée que cette femme cherchait toujours à responsabiliser quelqu'un d'autre pour ce qui lui arrivait.

— Calme-toi, maintenant, Charité, dit Peggy Morrissay en prenant la main de la femme affolée, son visage rond et joyeux se plissant en un froncement sympathique. Il va s'en sortir. Il va déjà mieux.

— Oh! Dieu, depuis Bennington je savais, je savais que ça arriverait. Je lui ai dit de rester à la maison, qu'il aurait une de ses crises, je le savais. Ils n'auraient pas attaqué un homme vieux et faible comme lui.

— Comme si l'vieux avait pas fait sa part en s'occupant du p'tit, marmotta une voix derrière Phoébée.

Elle reconnut la voix grave de James Morrissay. Elle voulut se retourner, lui dire quelque chose, mais elle se rappela le regard dégoûté qu'il lui avait lancé, le soir précédent, après qu'Anne eut dit à tout le monde que son père était un rebelle, et elle préféra ne pas revoir cette expression sur son visage.

— Écoute, la bonne femme, on n'a pas d'temps à perdre avec ce genre d'emportement. Secoue-toi!

La grosse mère de Lili repoussa Rachel et maîtresse Morrissay du revers du bras. Elle se plaça devant Charité Yardley, les poings sur les hanches.

— Tu peux t'fier à Bertha Anderson pour faire entendre raison à quelqu'un, gloussa James Morrissay à l'oreille de Phoébée.

Encouragée par ce petit rire, Phoébée tourna la tête pour lui sourire, mais comme elle croisait son regard, il fronça les sourcils et se fraya un chemin à travers la foule pour aller assister sa mère. Comme s'il l'avait frappée au visage. Les yeux de James étaient remplis de mépris. Il doutait encore d'elle, croyait encore qu'elle lui avait menti.

Phoébée le suivit puis s'arrêta subitement. Ce n'était pas le moment de parler. C'était celui de s'occuper de Jonas. Elle traversa la clairière en courant pour rassurer le frêle garçon, qui tendait le cou pour apercevoir son grand-père. Lili, Jédéas, Noé et deux autres petits garçons qu'elle avait vus avant l'accident étaient avec lui.

— Phoébée! Phoébée! George t'a suivie! George t'a suivie!

Jédéas essayait de grimper au pin où George était perché. La queue du chat remuait de gauche à droite, signe distinctif de sa mauvaise humeur et de ses intentions offensives.

— Tu ferais mieux de le laisser, Jédé. Jonas, ton grand-père se porte bien. Maîtresse Morrissay et ma tante Rachel s'en occupent. D'après ce que j'ai vu, tu dois être dans un plus mauvais état que lui. Je pense que quelqu'un devrait examiner ta jambe. Mon oncle Joshua a quelques connaissances en médecine.

— Pas besoin, dit Jonas en rougissant. Ça va aller.

— Peut-être, mais pas assez pour marcher quand nous nous mettrons en route.

— Non, mademoiselle, dit-il. Et j'sais pas c'que ma mère va dire de tout ça, ajouta-t-il d'une voix basse.

Phoébée pensa à maîtresse Yardley et se tut. Elle ne savait pas quoi faire pour Jonas. Elle savait comment utiliser des spores de vesses-de-loup pour guérir les plaies, de la grande camomille pour combattre la fièvre, de l'impatiente pâle contre les ulcères, et de l'acore contre la toux et les maux de gorge, mais elle ne connaissait aucune cure contre la douleur du jeune garçon. Elle ne savait même pas quoi faire pour elle-même. Tout avait semblé si simple, sur le bord du lac Champlain, lorsqu'elle avait décidé de suivre James pour retrouver maîtresses Morrissay et Anderson. Maintenant, elle partirait avec eux, avec sa tante, son oncle et ses cousins jusqu'au Fort Saint-Jean. C'est là qu'elle porterait son message. Même s'il était trop tard pour sauver les Anderson, les Morrissay et les Colliver, il ne le serait peut-être pas pour remettre le message codé au général Powell ou au commandant en charge du Fort Saint-Jean. Elle tiendrait la promesse qu'elle avait faite à Gidéon.

Au Canada, elle serait protégée de ces gens qui avaient torturé et tué des voisins, qui avaient si cruellement déraciné des familles et qui avaient pendu Gidéon. Mais, hier soir. Hier soir ! Ces gens, ces réfugiés qui avaient été maltraités par les rebelles l'avaient regardée comme s'ils souhaitaient la pendre. Comment réussirait-elle à se rendre jusqu'au Canada avec eux ? James avait raison quand il lui avait dit qu'elle devait avoir perdu la tête, tout embrouillée qu'elle était par le chagrin et l'idée fixe de porter le message de Gidéon. Toutefois, si elle voulait atteindre ce fort – même si cela s'avérait aussi décevant que Ticonderoga –, elle n'avait d'autre choix que de voyager avec des gens qui la considéraient comme une ennemie.

Par contre, quelques-uns croyaient en elle : tante Rachel, oncle Joshua, Jédéas et Noé. Et peut-être la mère de Lili, aussi. Et voilà que, devant elle, il y avait ce garçon osseux aux cheveux noirs et aux grands yeux sombres et féroces. Il ne pouvait avoir plus de neuf ou dix ans. Il était blessé, infirme, comme l'avait dit sa mère, qui ne voulait manifestement pas s'en occuper. Qui en prendrait soin, alors ? Tomberait-il simplement sur le bord du chemin et mourrait-il alors que personne n'y prêterait attention ? Pouvait-elle l'abandonner à ce sort cruel ?

— Jonas, demanda-t-elle, penses-tu que tu pourrais marcher si tu utilisais ta béquille et que tu t'appuyais sur moi, jusqu'à ce que ta jambe aille mieux et que ton autre béquille soit réparée ? Comme ça, tu pourrais suivre le même rythme que tout le monde, non ?

— Non, il pourrait pas ! cria Lili. Non, il pourrait pas !

— Pourquoi pas ?

— Il peut pas s'appuyer sur toi. Tu dois t'occuper de moi.

— Non. Ta mère peut s'occuper de toi.

— C'est pas ma mère. J'suis orpheline. P'pa a été pendu et m'man est morte dans le feu. M'dame Anderson m'a prise avec elle. Et Betsie Parker aussi, à cause que son p'pa est parti à la guerre et que sa m'man est morte itou.

Phoébée s'assit. Elle regarda le petit bout de femme blessée et en colère qui se tenait devant elle : poings serrés, cheveux fins, visage maigre et yeux pâles remplis de larmes.

— Je suis orpheline, moi aussi, Lili. Je serais heureuse que tu m'accompagnes quand nous nous mettrons en route.

10

Sur la route

Tante Rachel était plus que ravie de partager le déjeuner familial avec Jonas et Lili. Mais non pas Jédéas et Noé. Ils étaient assez contents d'avoir Jonas avec eux, près de leur feu, mais objectaient férocement et en chœur que «cette petite fille devrait être avec sa propre maman». Et Anne? Anne s'éloigna et refusa de déjeuner avec «la traîtresse habillée en squaw». Phoébée était affligée non seulement parce qu'Anne la méprisait, mais aussi à cause de l'aspect désolant de sa cousine. Cette dernière avait toujours fait en sorte d'avoir de la dentelle sur son fichu blanc et un ruban dans les cheveux, mais aujourd'hui, le col de sa blouse était dégarni et sa robe était poussiéreuse et maculée de ronds de sueur et de taches de larmes. Ses cheveux qu'elle lavait souvent à l'eau chauffée pour la lessive pendaient maintenant en couettes molles et sales et n'étaient plus retenus par aucun ruban.

Phoébée regarda en direction des chars où se tenait sa cousine, le visage tourné et le dos misérablement courbé. L'espace d'un moment, elle ne put s'empêcher de penser qu'Anne se méprisait elle-même. Puis le moment passa, mais laissa derrière lui un sentiment plus doux envers sa cousine, un sentiment de sympathie qu'elle n'avait pu ressentir lorsque Rachel avait plaidé en sa faveur, la nuit dernière. D'humeur plus gaie, elle se retourna vers sa tante, son oncle et ses cousins. Oncle Joshua était de retour de sa toilette matinale au ruisseau. Il sourit vaguement à Phoébée, mais ne sembla pas la reconnaître. Dans un frisson d'horreur, Phoébée comprit ce que tante Rachel avait voulu dire lorsqu'elle lui avait raconté que son oncle Joshua avait été gravement ébranlé par les événements. Il s'était retiré en lui-même où on ne pouvait plus l'atteindre. Elle aurait voulu le réconforter, mais comment?

Pour se rendre vraiment utile et devenir une personne en qui on pouvait avoir confiance, elle savait ce qu'elle devait faire : prendre soin de Lili et de Jonas, comme elle prenait soin de Jédéas et de Noé. Elle laissa donc Bernard et George avec les enfants et alla trouver Bertha Anderson pour lui offrir de garder Lili avec elle jusqu'au Fort Saint-Jean.

— C'est pas moi qui vais m'en plaindre ! dit la grosse femme dont le visage s'assouplit en un vague sourire. Bon ben, tu vas avoir besoin de ses nippes, parce que c'est rien de plus, et j'imagine que tu vas aussi avoir besoin que j'te donne de quoi manger pour elle. J'te l'dis tout de suite, la nourriture, c'est pour Lili Thayer. J'commencerai pas à fournir le p'tit Yardley que vous gardez aussi, à c'que j'ai vu. Les gens des montagnes Vertes peuvent s'occuper d'eux-mêmes.

Pendant qu'elle parlait, Bertha Anderson fouilla parmi les ballots de son char à bœufs et sortit un petit paquet enveloppé dans un châle et un petit seau d'étain dans lequel elle mit quelques poignées de farine de maïs.

— Bon. Tu prends soin de ça comme d'la prunelle de tes yeux parce que c'est tout c'que j'ai pour elle. Pis si t'es une espionne rebelle… c'que j'suppose que t'es pas, rapport que ta tante est une ben bonne femme… pis que tu causes du tort à cette enfant-là, que Dieu tout-puissant voie à te punir. J'ai peut-être pas de sentiments particuliers pour la

175

p'tite fatigante de Lili, c'est vrai, mais sa mère et son père étaient des gens très croyants, que Dieu ait leurs âmes! pis j'voudrais pas qu'elle soit maltraitée.

Phoébée marmonna un merci, prit le baluchon de Lili et le seau d'étain et partit en courant avant que Bertha Anderson n'eût le temps de lui refiler l'autre fillette, Betsie. «C'est tout un village de noms à retenir», pensa-t-elle en allant trouver maîtresse Yardley.

Sans un mot, Charité Yardley sortit de son char une paire de culottes, une chemise, une mince couverture de laine et un calot de soldat rouge pâle.

— Il va devoir s'arranger avec une seule paire de bas parce que le vieux a besoin de la paire de rechange, dit-elle en reniflant. Oh! comme le malheur m'assaille!

Phoébée attendit qu'elle lui demandât comment allait Jonas, voulant lui dire qu'il n'était pas vraiment blessé, qu'il avait besoin de nourriture, mais Charité Yardley lui tourna le dos, bien décidée à solidifier les ballots de son char et à ne lui rien offrir. Phoébée était si en colère contre cette mère indigne qu'elle n'en demanda pas. «Nous nous arrangerons bien sans elle, marmonna-t-elle pour elle-même alors qu'elle s'éloignait. Quelle vilaine femme ! Et quelle ironie que son nom soit Charité ! »

Phoébée venait de renvoyer les deux jeunes garçons à leurs mères, de descendre Jédéas et Noé du dos de Bernard et de donner à Jonas ses vêtements de rechange, quand une voix douce derrière elle lui dit :

— Excusez-moi de vous déranger. Je m'appelle Lucie Heaton, et Joseph, mon époux, m'a priée d'informer tout le monde que nous nous préparions à reprendre la route bientôt.

Lucie Heaton était une petite femme soignée avec des cheveux gris souris couverts d'un bonnet gris. Elle portait un châle gris épinglé serré par-dessus une robe grise, maintes fois reprisée. Phoébée pensa à la souris sylvestre qu'elle avait surprise, une fois, dans un des tiroirs du buffet de tante Rachel. Et la voix de maîtresse Heaton était tout à fait le genre de voix douce qu'une souris sylvestre pourrait avoir. Elle avait une résonance… velue.

— Nous devons seulement décider dans quelle direction partir, dit la voix velue non sans une note d'humour.

Phoébée comprit mieux cette touche humoristique après avoir vu le mari de Lucie Heaton, Joseph. Maître Joseph Heaton était l'une des personnes les plus suffisantes que

Phoébée eût jamais rencontrées. C'était le petit homme corpulent au visage rond et aux grosses bajoues qui s'était avancé devant la foule, la veille au soir, et qui avait intimé à Anne de se taire. Mis à part sa queue tressée, ses cheveux gris étaient cachés par un large tricorne noir. Il portait d'amples culottes de cuir, une veste sale à motifs de grosses fleurs sombres, une chemise aux manchettes déchirées et un mouchoir de cou de lin blanc, sale également. «Il est aussi fier de lui qu'Élieus Pickens, pensa Phoébée. J'espère qu'il n'est pas aussi méchant.»

Phoébée, Jonas, Lili, Jédéas, Noé (qui, encore rongé de rancune, avait fait la paix avec Lili) et tous les autres se réunirent à proximité du chemin et des quatre chars à bœufs. Joseph Heaton se tenait en retrait, devant l'assemblée. De toute évidence, il allait assumer le rôle de leader.

— Sans même demander la permission, avait marmotté James à sa mère.

Il se tenait près de Rachel, sa sœur Jeannette sur les épaules. Phoébée l'entendit clairement et se mordit les lèvres pour ne pas sourire. Malgré le peu de temps qu'ils avaient passé ensemble et l'hostilité qu'il entretenait à son égard, il semblait à Phoébée qu'elle connaissait James depuis longtemps. Et son côté soupe au lait lui donnait envie de rire.

Joseph Heaton l'entendit aussi et le regarda.

— Compagnons, comme nous devons repartir et que mon groupe a entamé cet exode-ci avec un guide abénaquis, même si la vermine a déguerpi il y a deux jours ! ça m'a donné une bonne idée de comment on doit poursuivre notre route. Mais s'il se trouve quelqu'un parmi vous avec une meilleure idée, j'serais ben content de l'entendre, acheva-t-il en dévisageant James.

Les gens se regardèrent d'un air interrogateur. Phoébée savait que les Morrissay, les Anderson et les Colliver étaient tous arrivés de New York, deux jours auparavant, sans savoir comment se rendre au Fort Saint-Jean. Les autres étaient tous des Vermontois, des gens des montagnes Vertes, qui ne connaissaient pas les étendues septentrionales de leur république. Et aucun d'entre eux n'était au fait de la géographie du Canada. Ils savaient seulement que cette rivière – James l'appelait la rivière Iroquois, mais Rachel lui avait dit qu'elle s'appelait aussi la rivière Richelieu – coulait vers le nord, du lac Champlain vers le Canada. Et ils se trouvaient à environ cent cinquante kilomètres de sa source, à l'extrémité sud du lac Champlain, d'après ce qu'avait dit James lorsqu'ils s'étaient rencontrés. Ses pensées furent interrompues quand

James prononça son nom. Elle le regarda, ahurie.

— Phoébée Olcott sait s'orienter dans la forêt.

Il s'écarta, gêné, et ne la regarda pas.

Joseph Heaton jeta un coup d'œil à Phoébée.

— Ouais, ben, j'voudrais pas qu'une espionne rebelle nous guide jusqu'au Canada, moi, commença-t-il en faisant des yeux le tour de la foule. J'vois ben qu'y'en a qu'ça dérange pas de garder une personne aussi douteuse parmi nous, ajouta-t-il en fixant Bertha Anderson et Charité Yardley, mais j'me laisserai pas embobiner si facilement pis j'vais garder les yeux ben droit rivés sur elle.

Il lança un regard noir à James ; le jeune homme en resta coi. D'où elle se tenait, Phoébée ne voyait pas ses yeux, mais elle savait qu'ils étaient durs et froids. Elle s'imaginait très bien à quel point ce devait être irritant pour James de suggérer à Joseph Heaton qu'elle savait se repérer dans les bois, et d'avoir à écouter cet homme assommant faire de son mieux pour l'humilier. Puis elle réalisa autre chose par rapport à ce qui se discutait autour d'elle : ces gens – James y compris – lui permettaient de voyager avec eux jusqu'au Fort Saint-Jean. Soudain, ils lui apparurent davantage comme des amis.

Sans trop de brimades et de fanfaron-
nades de la part de Joseph Heaton, les enfants furent entassés dans les chars, les feux
éteints, les bœufs harnachés, les vaches fouet-
tées sur la croupe, et la caravane s'ébranla
vers l'ouest... c'est-à-dire vers Chimney
Point, le lac Champlain et la route militaire,
par où James et Phoébée étaient arrivés, la
veille, bref de retour en arrière. Voilà où le
flair de Joseph Heaton les menait! Phoébée
était effrayée de le dire à l'homme au tricorne,
mais elle l'était davantage de retourner vers
cette route, vers les villages rebelles et peut-
être même vers des régiments de Patriotes.

— Penses-tu, jeune fille, se moqua maître
Heaton d'un air méprisant, que j'connais pas
mon ouest de mon nord, que j'sais pas où y'a
du danger?

Il s'arrêta tout de même et s'entretint avec
James Morrissay et Thomas Bother, «juste
pour satisfaire les geignards». James qui,
malgré lui, avait porté une attention parti-
culière à la leçon de Phoébée, se mit à examiner les arbres pour trouver les indices que
les oiseaux et la mousse avaient laissés, et il
se rendit compte qu'il regardait en direction
de l'endroit où la jeune fille et lui avaient
débouché, la veille au soir. Et la caravane
repartit. Vers le nord, cette fois.

Pendant le voyage, le chat demeura près de Jonas. En fait, George, qui n'avait jamais montré aucun signe d'affection à quiconque, même pas à Phoébée, avait posé ses yeux sur Jonas Yardley, s'était frotté contre sa jambe et s'était mis à ronronner. Depuis, chaque nuit, il dormait en boule contre le garçon. Quant à Bernard, il passait la nuit avec Phoébée, mais inquiétait la jeune fille par ses disparitions diurnes. Ses absences se faisaient plus longues et plus fréquentes que pendant le périple à travers les montagnes. Au départ, sa présence avait rendu les réfugiés nerveux, mais leur inquiétude eut tôt fait de se dissiper lorsqu'ils virent à quel point les enfants s'amusaient avec lui et à quel point il était gentil avec eux. Dès lors, les adultes lui furent même reconnaissants. En peu de temps, Bernard et George firent partie de la caravane comme n'importe quel humain.

Comme ils formaient un groupe mal assorti, ces vingt-quatre réfugiés loyalistes! Les Yardley avaient tenu un commerce florissant à Boston jusqu'à ce que l'époux de Charité fût tué par une bande de rebelles, dès les premiers jours de la guerre. Aaron, son beau-père, Jonas et elle étaient alors partis se réfugier chez des parents dans le nord-ouest du Massachusetts, mais ces parents, comme ceux des Robinson, n'avaient pas voulu les recevoir. Plus généreux que le cousin d'oncle Joshua, ceux-ci avaient toutefois donné aux Yardley un char, un bœuf, une vache et des provisions qui, espéraient-ils, leur permettraient de survivre jusqu'à ce qu'ils arrivassent au Canada.

Les Yardley avaient rencontré les Heaton et les Bother au nord de Bennington où ces deux familles avaient des fermes. Comme oncle Joshua, Thomas Bother était un homme ultrapacifique. Descendant d'une famille de quakers[11], il avait refusé d'aller à la guerre. Sa femme Marjorie, leur bébé de dix-huit mois, Zacharie, et lui avaient dû abandonner leur ferme et tout ce qu'ils possédaient et partir vers le nord. Un ami abénaquis du père de Thomas avait accepté de guider la caravane, mais Joseph Heaton l'avait si mal traité qu'il avait disparu en douce au cours de la seconde nuit.

Puis il y avait les réfugiés de New York, les trois familles du message de Gidéon. Toutes trois venaient des environs de Skenesborough, près de Wood Creek, au sud du lac Champlain. Les Anderson avaient été propriétaires

---

11. N.D.L.T. Les quakers étaient les membres d'un mouvement religieux protestant fondé par George Fox, en Angleterre, au milieu du XVIIe siècle, prêchant le pacifisme, la philanthropie et la simplicité des mœurs.

d'un moulin tandis que les deux autres étaient des familles de fermiers. Le mari de Peggy Morrissay, Charles, se battait dans un régiment loyaliste. Abigail Colliver ne savait pas si son Jethro était mort ou en prison. Un jour, il avait simplement disparu. Bertha Anderson entretenait les mêmes doutes que maîtresse Colliver à propos de son époux Septimus, malgré qu'il fût allé joindre les rangs britanniques comme Charles Morrissay.

Quand elle habitait encore Hanovre, Phoébée avait entendu parler des querelles entre les gens de New York, les Yorkers, et ceux des montagnes Vertes du Vermont, qui n'avaient jamais réussi à s'entendre parce que les gouverneurs de New York et du New Hampshire se disputaient depuis de nombreuses années ces terres montagneuses qui les séparaient. Bien qu'on ne comptât aucune bataille sérieuse, il y avait eu quelques échauffourées. Des colons avaient été chassés des terres qui leur avaient été accordées par leur province par des bandes de l'autre camp ; des maisons avaient été incendiées ; des gens avaient été battus. Bref, bien qu'il n'y eût eu aucun meurtre de perpétré, les relations demeuraient tendues entre les deux provinces. À présent, même si ces réfugiés étaient réunis sous la même bannière, ils se méfiaient encore les uns des autres. Les familles étaient donc enclines à se blâmer mutuellement pour tout ce qui allait de travers, et après une semaine de voyage, apeurés, la mort dans l'âme, gelés, toujours incertains d'avoir assez à manger, ils étaient tous bien malheureux. À la fin de cette première semaine, ils n'avaient pas parcouru plus de vingt kilomètres, plus souvent qu'autrement à travers de sombres marécages, de denses forêts de pruches et de sapins, et sur des pentes si abruptes que les bœufs ne pouvaient plus tirer les chars et que les biens devaient être déchargés et transportés à bras. Il avait neigé et reneigé et, au cours des deux derniers jours, les vents avaient été si violents qu'ils avaient dû camper à l'abri d'une forêt de pins.

Le troisième matin, lorsque le soleil se leva dans un ciel clair et que l'on constata que la température s'était réchauffée, tout le monde se sentit mieux.

Joseph Heaton venait de japper : « Préparez-vous à repartir ! », quand trois soldats rebelles débarquèrent brusquement dans le campement. Ils étaient sapés de culottes en lambeaux et de vieilles chemises de chasse. Deux d'entre eux portaient des souliers, alors que le troisième avait des guenilles en guise de chaussures. Le plus jeune et le plus téméraire des trois les railla :

— Venez-vous-en, bande de peureux de Tories! Les soldats de George Washington ont besoin d'un coup d'main!

Aux premiers cris des soldats, James Morrissay et Thomas Bother s'étaient planqués derrière les chars. Phoébée avait vu James sortir son couteau de sa gaine alors que le mousquet de Thomas était déjà prêt. Lorsque les soldats eurent rejoint le groupe de réfugiés, James et Thomas étaient introuvables.

Un des soldats attrapa Jédéas Robinson et Samuel Colliver et les tint à la pointe de la baïonnette pendant que ses comparses fouillaient les chars. Devant les réfugiés impuissants, les hommes s'emparèrent d'une couverture, d'un flanc de porc salé et d'une paire de souliers dans le char des Heaton. Ils prirent une des vaches de Charité Yardley et une flèche de lard. Du char des Anderson, ils volèrent de la farine et une courtepointe, «que ma grand-mère avait apportée d'Angleterre», avait ensuite avoué Bertha Anderson à tante Rachel. Elle montra le poing aux rebelles, mais le jeune impétueux la frappa du revers de la main, puis la renversa d'un coup de crosse de mousquet.

— Voilà pour toi, vieille truie! railla-t-il de nouveau. On n'a pas tout pris, on a juste emprunté une de vos vaches. Pis t'auras pas besoin de cette courtepointe-là... t'as assez de lard sur toi pour t'garder au chaud! Vous transmettrez nos meilleurs vœux à ce bon vieux roi George quand vous l'verrez.

En riant aux éclats, les soldats s'enfuirent. Le beuglement de la vache sembla ne jamais s'arrêter. Samuel et Jédéas restèrent agrippés à leur mère pendant un bon moment, trop effrayés pour émettre le moindre son. Même Lili Thayer ne dit rien. James Morrissay et Thomas Bother réapparurent. Thomas jeta un regard anxieux à sa femme. Joseph Heaton se mit à leur faire des reproches d'une voix forte et autoritaire, mais six ou sept voix le firent taire aussitôt. Ils savaient tous que trois soldats armés auraient aisément pu écraser deux jeunes hommes avant que l'un d'eux n'eût pu réagir, pour ensuite les ligoter et les emmener se battre dans un régiment rebelle ou encore «les pendre comme des traîtres», avait ajouté Marjorie Bother en s'accrochant à son mari, les larmes aux yeux. Phoébée jeta un bref coup d'œil à James et frissonna.

Pendant les deux jours suivants, les mots ne tombèrent pas aussi à pic qu'à l'habitude et les disputes se firent rares à propos du partage des provisions. Puis, seulement quelques jours plus tard, une paire de soldats britanniques débraillés débouchèrent dans le campement. Il était indubitable qu'ils étaient anglais. Malgré qu'ils fussent sales et tachés de sueur et de sang, leurs tuniques écarlates ne laissaient aucun doute sur leur origine.

— Voilà que nous sommes tombés sur un groupe de loyaux sujets de Sa Majesté, dit l'un d'eux avec un accent de la mère patrie.

Le soulagement que les réfugiés ressentirent fut de courte durée.

— Quoi de neuf sur la guerre ? demanda James avec impatience.

— Aucune bonne nouvelle pour nous, dit le soldat en grimaçant d'un air piteux. Burgoyne a perdu sa campagne sur le fleuve Hudson, et nous battons en retraite depuis lors. Vos Américains, capturés des régiments loyalistes, sont au Fort Saint-Jean sous convention de ne pas se battre, ce qui veut dire qu'ils ne peuvent pas guerroyer, mais qu'ils sont diablement libres de faire ce qu'ils veulent dans le fort, par exemple. Nous, les réguliers, qui venons de l'autre côté de la damnée mer, avons été faits prisonniers. Seuls quelques-uns d'entre nous ont réussi à s'échapper. Nous nous dirigeons vers le quartier général, à Montréal. Maintenant, si vous aviez l'amabilité, dit-il en s'inclinant devant Joseph Heaton, de nous donner quelques denrées pour nous sustenter. Je suis sûr que vous ne refuserez pas à deux troupiers de Sa Majesté quelques nécessités.

— Vous pouvez pas prendre nos réserves! leur cria Bertha Anderson.

— Voyez-vous, nous…, commença Joseph Heaton.

Mais le soldat pointa son arme vers lui et maître Heaton dut reculer. Pendant que son compagnon montait la garde, prêt à faire feu, que Joseph Heaton bredouillait d'indignation et que les autres réfugiés regardaient la scène, tendus et silencieux, le soldat prit un jambon aux Yardley, une poche de farine de maïs aux Heaton et une poche de farine aux Robinson. Il fouilla le char des Anderson et celui des Colliver, mais comme il ne trouva que des couvertures et des vêtements d'enfant, il haussa les épaules.

— Pas grand-chose à faire avec ça, ronchonna-t-il en tenant la poupée de Betsie Parker.

Soudain, il aperçut Anne, à moitié cachée derrière James. Il marcha jusqu'à elle en plastronnant et l'attira à lui. Il lui sourit et s'inclina.

— Jack Turner pour vous servir, madame.

Il l'agrippa par les épaules et l'embrassa fougueusement sur la bouche. Quelqu'un émit un petit cri. La mère d'Anne fit un pas en avant et James s'avança vers le soldat. Anne le fixa. Il rit, s'inclina de nouveau, puis balança la poche de farine de maïs par-dessus une épaule, coinça le jambon sous son bras et partit en sifflant *The Dashing White Sergeant*[12]. Le deuxième soldat baissa son arme, s'empara de la poche de farine et suivit son compagnon dans les bois.

— Des déserteurs ! dit Joseph Heaton en crachant dans leur direction lorsqu'ils furent hors de vue. En route vers Montréal ! Belle histoire ! Ce serait plutôt en route vers une cachette jusqu'à c'que la guerre soit finie.

Il jura franchement et ses bajoues tremblèrent de rage.

— Seuls des déserteurs peuvent agir de la sorte, dit Charité Yardley en reniflant en direction d'Anne pour ensuite se diriger vers son char et y remettre de l'ordre.

Tante Rachel entoura Anne de ses bras pour la réconforter, mais Phoébée avait vu les joues de sa cousine devenir rouges de plaisir. Elle ne pouvait s'empêcher d'espérer que le baiser du soldat adoucirait la froideur d'Anne. Toutefois, si le baiser ne réussit pas à l'adoucir, il contribua à la ramener un tant soit peu à son état normal. Elle se remit à faire

---

12. N.D.L.T. Titre d'une chanson de l'armée britannique. Dans le jargon anglais du XVIIIe siècle, l'expression *White Sergeant*, littéralement, le sergent blanc, se rapportait à l'épouse du soldat. Quand un soldat se faisait arrêter par un sergent blanc, c'était tout simplement que sa femme avait envoyé quelqu'un au pub dire à son mari de rentrer à la maison. *Dashing* signifie à la fois « plein d'allant » et « qui a grande allure ».

attention à son apparence. Elle trouva un petit bout de ruban pour attacher ses cheveux et un mouchoir pour sa robe. Se plaignant haut et fort, elle se lava, comme les autres, en brisant la glace des étangs ou encore en se plongeant le visage dans l'eau courante des ruisseaux. Comme à son habitude, elle évita les tâches les plus ardues. Et elle commença à flirter avec James. Les sentiments charitables de Phoébée à l'égard de sa cousine subirent un sérieux recul lorsqu'elle en prit connaissance. « Pourquoi ne va-t-elle pas quêter des baisers du côté de Thomas Bother ? » pensa-t-elle maussadement. Mais en regardant le gentil fermier qui tenait son enfant dans ses bras, elle eut honte d'avoir eu de telles pensées.

Les autres n'avaient certainement pas été aussi vivifiés par la visite des soldats britanniques que ne l'avait été Anne. Avec lassitude, ils poursuivirent péniblement leur route. De temps à autre, ils croisaient une vieille piste qui facilitait la progression, mais ils montaient toujours la garde pour parer à l'arrivée d'espions, d'éclaireurs, de déserteurs ou d'Amérindiens. Tous les étrangers qu'ils rencontraient devenaient une menace. L'histoire de Jeanne McRea, la belle Loyaliste qui, quelques mois plus tôt, avait été prise dans une dispute entre deux groupes d'éclaireurs iroquois, puis assassinée et scalpée, avait fait remonter leur vieille peur des Iroquois. Les expériences qu'ils avaient vécues avec leurs voisins de toujours, soudain devenus ennemis, étaient fraîches à leur mémoire et, lorsqu'ils s'égarèrent et se retrouvèrent à proximité d'un petit village, ils voyagèrent toute la nuit pour s'en éloigner le plus possible.

Tous gardaient leur mousquet près d'eux en cas d'attaque ennemie et dans l'espoir de trouver du gibier. Phoébée n'avait pas d'arme, mais comme elle avait tiré plus d'une fois avec la vieille Brown Bess de Gidéon, elle partageait la garde avec tante Rachel. Anne ne voulait rien savoir du fusil et, malgré leurs demandes insistantes, Rachel ne laissait pas les garçonnets s'en approcher. Toutes les nuits, James, Thomas et le vieux Aaron Yardley tendaient des pièges faits de plantes grimpantes. Le vieil homme insistait pour aider, car, bien qu'il ne fût pas aussi fort qu'il l'avait déjà été, il n'avait pas oublié tous les trucs appris dans sa jeunesse. Chaque matin, ils brisaient la glace d'un ruisseau ou pataugeaient dans une rivière pour pêcher de la truite ou de la perche. Parfois, la chance leur souriait, et ils attrapaient du poisson ou encore tuaient une perdrix, un dindon ou un cerf. Certains matins, des porcs-épics ou des lièvres étaient pris dans leurs pièges. De temps à autre, ils dénichaient des buissons portant encore quelques baies desséchées que les ours et les oiseaux avaient oubliées, mais il y en avait tout juste assez pour ajouter un peu de saveur à la bouillie de maïs, chaque jour un peu plus délayée.

Quiconque avait de la farine de maïs la partageait avec ceux qui n'en avaient pas, même si Joseph Heaton se plaignait haut et fort qu'il ne voyait pas pourquoi il supporterait «l'imprévoyance des autres», particulièrement depuis qu'il s'était fait voler son lard salé et une poche de farine par «ces satanés rebelles» – il jeta un coup d'œil à Anne – «et par ces déserteurs étrangers dont tu t'es toquée». Charité Yardley insista sur le fait qu'elle avait juste assez pour nourrir les siens, c'est-à-dire l'âme et le corps de son beau-père. Quand Peggy Morrissay lui rappela que Phoébée Olcott, qui ne possédait rien, s'occupait de son propre fils Jonas, Charité plongea la main à contrecœur dans le sac et en sortit une poignée de farine de maïs. Et quand le vieux Aaron Yardley fit savoir à la ronde qu'ils pouvaient sans peine partager le jambon que les soldats n'avaient pas pris ainsi qu'un peu de leur farine de maïs, elle se raidit de colère. À la grande indignation de plusieurs, il s'avéra même que les provisions abondaient dans le char des Yardley.

De toute façon, avec vingt-quatre bouches à nourrir, les réserves s'épuisèrent vite, et elles furent bientôt si minces que, par mauvais jours de chasse, on se mit à entendre les enfants gémir de faim dans leur sommeil.

Puis un essieu du char des Anderson se brisa en traversant un ruisseau, au pied d'une falaise, et la caravane fit halte. Et c'est à ce moment-là que la sœur de James, Jeannette, attrapa la rougeole.

11

Le ruisseau de l'Essieu-en-Deux

Le matin où l'essieu du char des Anderson se rompit, Joseph Heaton dit à sa femme Lucie, assez fort pour que tout le monde l'entendît :

— J'vais pas attendre un tas de Yorkers et d'étrangers juste parce qu'ils ont pas l'savoir pour faire rouler leur char. Pas plus que j'vais attendre à rien faire que ces enfants-là meurent d'la rougeole.

Et sur ces bonnes paroles, les Heaton entreprirent la traversée du ruisseau, leur char craquant de toutes parts sous son lot de nourriture, d'instruments de ferme et de livres d'école dont Joseph Heaton avait hérité à la mort de son grand-père, mais qu'il ne pouvait lire. Ils ne se rendirent même pas de l'autre côté du ruisseau. L'essieu de leur char se rompit en deux, de la même manière que celui du char des Anderson.

Phoébée dit aux enfants que ce petit cours d'eau devrait être baptisé le ruisseau de l'Essieu-en-Deux et inventa une comptine. Du coup, Lili commença à gambader autour du campement en chantant :

— Le ruisseau d'l'Essieu-en-Deux, le ruisseau d'l'Essieu-en-Deux, si tu n'y crois pas, mon vieux, viens le voir de tes grands yeux !

Joseph Heaton gronda en direction de Lili et fusilla Phoébée du regard. Mais il n'y avait pas moyen d'arrêter la fillette et, bientôt, tous les enfants récitèrent la comptine – même Jeannette Morrissay qui avait la fièvre et frissonnait enveloppée dans la grande cape de sa mère – jusqu'à ce qu'il n'y eût plus un adulte qui ne rêvât pas de les jeter tous dans le ruisseau de l'Essieu-en-Deux. À un moment donné, James laissa tomber dans le ru glacé le bout de planche que Thomas et lui tentaient de glisser sous le char des Heaton, et se rendit à l'endroit où Phoébée occupait les enfants à ramasser du bois pour le feu. Nez à nez, il la regarda droit dans les yeux.

— Si tu les fais pas taire avec ce ruisseau d'l'Essieu-en-Deux, j'vais pas juste t'y jeter, j'vais t'y noyer !

D'un bond, Phoébée s'ôta de son chemin et lui sourit. Une amitié féroce s'était développée entre eux. James ne lui avait jamais rien dit à propos de son père ou des accusations proférées par Anne, mais il était difficile de ne pas se parler et de demeurer fâchés, alors qu'ils peinaient à travers les bois épais et les collines sans fin, campant tous les soirs dans l'air froid de novembre avec les hurlements lugubres des loups dans le lointain et le bruissement d'une myriade de petits animaux à proximité. Ils avaient donc conclu une sorte de paix. Et à présent, sur la berge du ruisseau de l'Essieu-en-Deux, elle le menaçait :

— Je te jure que je vais te la faire chanter, cette comptine !

Il grogna dans sa direction, mais elle vit qu'un coin de sa bouche s'était relevé.

Alors qu'on réparait les chars et qu'on se préparait lentement à repartir, Thomas et Marjorie Bother décidèrent d'y aller sans tarder.

— Je suis vraiment désolé, dit Thomas à la ronde. Je sais que vous avez besoin d'un autre jeune homme costaud, ajouta-t-il en regardant James pour s'excuser, mais avec le bébé dû dans quelques semaines et l'hiver qui s'en vient à grands pas, on voudrait vraiment arriver le plus vite possible au Fort Saint-Jean.

Et les Bother partirent, Zacharie dans les bras de Thomas et Marjorie en larmes. Sa figure n'était pas la seule triste figure dans le groupe rassemblé pour les regarder s'éloigner. Mais il y avait peu de temps pour la tristesse et les au revoir. Lorsque les chars furent réparés, Betsie Parker, Jédéas et Noé Robinson et Samuel Colliver avaient tous contracté la rougeole.

Le ruisseau sur le bord duquel les réfugiés campaient, et qui ne perdit jamais son nom de ruisseau de l'Essieu-en-Deux, coulait vers le nord entre une haute falaise d'argile et une colline boisée. À l'endroit où la piste abénaquise croisait le petit cours d'eau, le ruisseau tournait brusquement autour d'une avancée dans la falaise, laissant ainsi de larges berges plates et caillouteuses de chaque côté. Sur ces berges poussaient de grands saules et de grands peupliers, qui offraient toutefois peu de protection contre le vent de novembre qui sifflait et gémissait le long du ruisseau, écho sauvage aux plaintes fiévreuses des enfants malades. Regroupés entre le versant boisé de la colline et le ruisseau couvert de glace, les feux n'apportaient pas non plus la protection nécessaire contre les dangers d'un lieu aussi sauvage.

Les enfants étaient trop malades pour voyager. Et bien qu'il menaçât de le faire, chaque jour, en se plaignant des «satanés Yorkers qui amènent leurs saletés de maladies en terre yankee», Joseph Heaton ne partait pas. Il prenait sa hache et élaguait les branches des saules en bordure du ruisseau et celles des pins dans la forêt pour construire des abris de fortune contre le vent, la neige et le froid qui glaçait jusqu'aux os. Par contre, rien ne pouvait stopper les hurlements lugubres des loups et les grognements féroces des carcajous et des chats sauvages. Et quant aux yeux qui brillaient dans la nuit noire autour du campement, seuls les feux bien entretenus les tenaient éloignés.

Charité Yardley remuait constamment les mains et gémissait qu'elle «mourrait sûrement dans ce lieu perdu et isolé». Anne assura sa mère qu'elle avait la rougeole, bien qu'elle l'eût eue des années auparavant et qu'elle s'en fût très bien remise. La nuit, pendant que Jonas entretenait le feu, Phoébée veillait les enfants, les endormant, allant leur chercher à boire et leur donnant de grosses cuillerées de soupe qu'elle faisait avec de la farine de maïs, du poisson et de petits morceaux de jambon qu'on lui avait donnés.

— Je vais voir à ce que tu aies de l'aide avec la nourriture et que tu aies quelque chose de mieux que le vieux seau de Bertha Anderson pour cuisiner.

Abigail Colliver était aussi généreuse en paroles qu'en actes. Elle complimenta et loua Charité Yardley jusqu'à ce que cette dernière lui donnât l'une de ses trois marmites. Avec ce nouvel accessoire de cuisine, Phoébée sentait maintenant qu'elle avait une vraie place dans le campement, et elle prenait soin des enfants avec la même détermination et le même sens pratique qui l'avaient animée lorsqu'elle s'était occupée de son père, qu'elle avait trié les plantes de Gidéon ou qu'elle était partie remplir la mission de son cousin. Elle prit Jédéas et Noé avec elle, faisant valoir à tante Rachel qu'ils «seraient aussi bien d'être agités avec les autres, ici, à côté de moi».

Même en ville où les maisons étaient propres et où il y avait des médecins, la rougeole tuait des centaines de personnes chaque année. Phoébée y avait survécu à l'âge de quatre ans alors que sa mère et son jeune frère en étaient morts. À présent, en forêt, sans même un charlatan dans les parages, les réfugiés étaient terrifiés. Ils se rassemblaient matin et soir afin de prier pour la guérison des enfants rougeoleux et pour qu'aucun d'entre eux ne succombât à la maladie.

Un soir, deux jours après que la caravane eut établi son campement sur les bords du ruisseau, James arriva près du feu de Phoébée avec un couple de lièvres sur l'épaule.

— Dis donc, Jonas, es-tu habile avec un couteau ?

Jonas, qui mettait des brindilles dans le feu, le regarda.

— J'pense que oui.

— Viens avec moi, alors. J'vais avoir besoin d'toi pour faire la peau à ces deux-là. Pour ta peine, tu pourras ramener un ou deux beaux morceaux pour ta marmite. À moins que Phoébée ait besoin de ton aide.

Il regarda dans sa direction et releva un sourcil.

— Ça va, répondit-elle.

Elle avait si envie d'un ragoût de lapin qu'elle ne put rien ajouter. Le lendemain matin, James était de retour ; une fois de plus, il avait eu de la chance avec ses pièges.

— J'nous ai attrapé un gros porc-épic, dit-il de bonne humeur. Si j'brûle ses piquants et que j'le dépèce, vas-tu vouloir le découper ? La moitié va à maître Yardley, et l'autre moitié est pour toi et maîtresse Colliver. M'man a encore un reste de lapin, et le vieux Heaton a tué une perdrix.

Phoébée, Jonas et Lili mangèrent donc du porc-épic bouilli et les petits malades burent le bouillon.

Pendant les nuits les plus difficiles, tante Rachel, Abigail Colliver et Peggy Morrissay se relayaient pour prendre soin des enfants. Le grand-père de Jonas venait souvent leur raconter des histoires, des histoires de sa jeunesse passée sur les bateaux et dans le port de Boston. Le soir, James rapportait ce que son mousquet avait pu tuer, ce que ses pièges avaient pu prendre ou ce que ses lignes avaient pu pêcher. Parfois, il n'avait rien, mais venait tout de même s'asseoir près du feu, avec sa sœur Jeannette, pour écouter les histoires du vieux Aaron Yardley et pour boire une infusion faite de feuilles de menthe ou de cresson gelées qu'il trouvait sous la neige, à la lisière du ruisseau.

Petit à petit, Betsie, Jeannette, les frères Robinson et Samuel Colliver guérirent de la rougeole, alors que Lili Thayer, Arnold Colliver et Johnny Anderson en tombèrent malades. Tant qu'il pouvait s'étendre, la tête appuyée sur Bernard, Arnold était heureux. Lili était la plus malade de tous et la plus exigeante, aussi. Jour et nuit, elle collait à Phoébée comme une bardane à une couverture, criant à l'épouvante chaque fois que la jeune fille devait s'absenter quelques instants. Phoébée remerciait le ciel que Jonas fût immunisé contre la rougeole, l'ayant eue plusieurs années auparavant, car non seulement s'occupait-il d'entretenir le feu, mais il allait aussi chercher de l'eau au ruisseau, remuait le contenu de la marmite et, avec son grand-père, amusait les petits malades.

Le campement de Phoébée devint la deuxième famille de James. Quelquefois, après que les enfants furent endormis et qu'Aaron Yardley s'en fut retourné à son chariot, James s'asseyait autour du feu et lui parlait de sa vie, avant l'expulsion de leur maison. Un soir, il raconta à Phoébée son enfance sur la ferme, au sud de Wood Creek, dans la province de New York.

— C'était pas comme ici, pas juste d'la forêt à pus finir, dit-il. Quand p'pa a acheté la ferme, c'était vingt-cinq hectares de belle terre défrichée. On avait une maison blanche pis une grosse grange. Quand on a été jetés dehors de chez nous, on avait cinquante têtes de bétail, une bonne paire de clydesdale[13], et tout un tas de poulets, de canards et d'oies.

La voix de James s'emplit d'amertume.

— Quand la guerre est arrivée, p'pa est parti se battre avec les Royal Yorkers. J'étais prêt à y aller avec lui, mais il m'a dit : « James, tu peux pas m'accompagner. J'peux pas partir l'esprit tranquille si tu restes pas ici à t'occuper de tout. » Pis on a été chassés de

13. N.D.L.T. Sorte de chevaux de labour.

notre ferme par ces voleurs de Fils de la Liberté[14]. Ils nous ont tout pris, excepté quelques chaudrons, des vêtements et une poignée de nourriture. Ils ont même pris le violon de p'pa !

La voix de James se brisa.

— Ça, ç'a fait mal ! Oh ! Jésus-Marie-Joseph que ç'a fait mal ! Son violon. Quand j'pense à cette peau de vache de bon à rien de Gabriel Jenkins qui raclait le violon de p'pa...

Il craqua. À la lueur des flammes, Phoébée vit la colère envahir son visage. Elle tendit la main vers lui, mais la retira aussitôt, pensant qu'il refuserait sa sympathie. Il la surprit tout de même.

— Ah ! j'suppose qu'on a tous les mêmes problèmes... pis j'ai jamais eu à traverser les montagnes comme t'as fait. Aviez-vous une ferme, là-bas ?

Les confidences de James avaient fait l'effet d'un cadeau à Phoébée. Elle lui parla de son père, homme érudit et tendre mais très distrait, et de son enfance à Hanovre, aux abords du collège. Elle voulut parler d'Anne et de l'amitié qui les avait unies, mais les récents événements et l'attitude générale

---

14. N.D.L.T. Association de patriotes américains en faveur de l'indépendance des treize colonies.

de sa cousine envers elle étaient si présents et si douloureux qu'elle ne dit rien. Toutefois, dans l'obscurité, avec pour tout éclairage les flammes dansantes du feu, elle put parler de Gidéon – pas de sa mort, non, ça, jamais! – et des jours heureux et ensoleillés où elle l'aidait à ramasser ses plantes. Elle parla des longues heures qu'elle avait passées à écouter son père et ses étudiants débattre de choses et d'autres jusqu'à ce que la lumière de l'aube eût filtré à travers l'unique fenêtre de la maison. Et, à voix très basse, elle lui parla de son père et de sa conviction profonde pour ce qu'il appelait «la cause des Patriotes» et pour laquelle il était mort.

— Et toi? lui demanda James. Tu crois à quoi?

Phoébée voulut lui mentir, mais ne le put pas. Elle aurait aimé lui dire que, tout comme lui, elle croyait que les rebelles avaient tort, mais les paroles de son père sur la justice et la liberté avaient été trop passionnées, trop convaincantes.

— Je ne sais pas, dit-elle, déchirée. Je ne sais pas en quoi je crois.

Il y eut un long silence, puis James lui demanda:

— Pourquoi tu parles jamais de ton voyage en solitaire à travers les montagnes?

— Je n'étais pas toute seule, dit Phoébée en souriant. J'étais avec Bernard et George, et nous n'avons pas grimpé au sommet des montagnes, nous les avons contournées en traversant des vallées.

Elle lui raconta alors l'après-midi qu'elle avait passé dans l'arbre avec l'ours et le chat. James rit aux éclats, ce qui réveilla Lili et Samuel, et Phoébée dut le leur raconter de nouveau. Lorsqu'elle eut achevé son histoire, ils tournèrent les yeux vers l'endroit où dormaient habituellement Bernard et Arnold Colliver. Mais Bernard n'était pas là.

— Encore parti, murmura Lili de sa voix enrouée et malade.

— Encore, lui fit écho Phoébée. C'est vrai qu'il part de plus en plus souvent.

Elle se sentit soudain coupable de ne pas avoir accordé plus d'attention à Bernard, ces derniers temps.

— Ben, peut-être que t'en as assez sur les bras sans avoir à penser à cet ours-là, dit James.

— Mais c'est Bernard et… et tu peux rire si tu veux, James, mais Bernard a été un meilleur ami pour moi que n'importe qui dans ce monde, sauf peut-être Gidéon et… et… Peter Sauk.

Les sourcils de James se relevèrent comme chaque fois que quelque chose le surprenait. Il eut un rire bref, mal à l'aise.

— Comme ça, j't'ai pas fait de faveur en t'conduisant à ma mère ?

— James, ta mère est très gentille.

— Oui, pareil comme...

James se leva. Il se balança d'un pied à l'autre. Il ôta son chapeau et se gratta la tête. Il voulut dire quelque chose, mais à la place, il prit un bâton dans la pile de bois, le lança dans le feu et regarda les étincelles s'envoler dans la nuit noire.

— Au moins, tu dis plus mon nom au complet. Tu dis juste James. Ça sonne plus... amical.

Et sans un autre mot, il partit. Phoébée fixa l'obscurité dans laquelle il s'était évanoui. Pendant un moment, elle avait cru qu'il lui dirait qu'elle était très gentille, elle aussi, et elle était presque gênée du plaisir que cela lui avait causé.

Toutefois, la joie qui subsistait dans son cœur la quitta l'après-midi suivant. Pendant qu'Aaron Yardley racontait des histoires aux enfants, elle en avait profité pour emprunter un seau d'écorce à la mère de James et partir se laver. Elle avait marché le long du ruisseau dans l'air froid, clair et brillant, et, à environ cinq cents mètres passé le tournant, elle avait trouvé des petits rapides où la glace était mince. Là, elle avait plongé son visage dans le courant glacé, s'était frotté les mains et le visage avec du sable et avait tressé l'espèce de grosse masse sale et épaisse qu'étaient devenus ses cheveux.

Heureuse de vivre, elle repartait vers le campement, en suivant la berge caillouteuse et en chantonnant pour elle-même, quand elle entendit des voix : c'était James et Anne. Anne prononça son nom. Phoébée s'accroupit aussitôt derrière un gros rocher. Et bientôt, ils s'arrêtèrent à deux mètres de l'endroit où elle était dissimulée.

— Comment peux-tu être ami avec elle ? demanda Anne à James. Elle joue à la nurse avec les enfants pour que tout le monde oublie de s'en méfier. En ce qui me concerne, je n'oublierai pas. Jamais. De toute façon, je ne lui ai jamais fait confiance.

— Mais c'est ta cousine. Vous avez déjà été amies, non ?

— Elle t'a dit ça ? Non. Non, nous n'avons jamais été amies, jamais. Comment peux-tu croire ça ? J'ai eu pitié d'elle. Pauvre petite Phoébée : aussi dodue qu'une perdrix et deux fois plus timide. C'est ce que mon frère Gidéon disait à son sujet. Il était gentil avec elle. Si seulement il avait su...

— Elle me semble pas si timide que ça. Elle a traversé les montagnes toute seule.

— C'était à cause de Gidéon ! dit Anne en haussant le ton. Elle s'est enfuie après sa pendaison. Elle savait que nous découvririons que c'était sa faute.

— Ton frère a été pendu? Elle m'a pas dit ça.

— Oui, il a été pendu, et c'est la faute de Phoébée. C'est une rebelle, je te le dis. Je me fous de ce que croit ma mère : Phoébée nous ment. Son père était un rebelle. Il a été tué au cours d'une bataille à Boston. Elle attendait seulement l'occasion de nous faire souffrir. C'est sa faute si nous avons été chassés de notre maison et que nous avons dû nous cacher dans les bois comme des bêtes traquées. Tout est sa faute et je la déteste!

James marmotta quelque chose. Phoébée entendit leurs pas s'éloigner sur la glace épaisse et le gravier. Elle resta là, figée, totalement misérable. Des mensonges. Et ces mensonges ne venaient pas d'elle. Ravalant ses larmes, elle se leva et sortit de sa cachette. Avant qu'elle pût réaliser ce qui se passait, Anne s'était retournée et fonçait droit sur elle, tête baissée. Phoébée n'eut pas le temps de s'ôter de son chemin. Anne lui rentra dedans, glissa et tomba dans les rapides glacés.

— Oh! hurla-t-elle. Oh! toi!

James tendit la main à Anne et la tira des eaux froides du ruisseau. Il se tourna ensuite vers Phoébée.

— Qu'est-ce qui s'est passé?

— Elle espionnait ! haleta Anne. Je te l'avais dit ! Elle nous espionnait. Elle veut me tuer !

— Dis rien, tu vas attraper une pneumonie. Viens-t'en, cours !

James passa son bras autour d'Anne et, la tenant serrée contre lui, la mena rapidement vers le campement.

Une colère noire envahit Phoébée. Elle se jura de ne plus jamais se soucier de ce que les gens diraient sur son compte. Elle détestait James. Elle haïssait Anne. D'un pas furieux et rapide, elle se remit en marche le long du ruisseau. Deux petits garçons sortirent soudain du couvert des arbres et sautèrent juste devant elle : Johnny Anderson et Arnold Colliver.

— Il m'aime ! J'te dis qu'il m'aime ! criait Arnold. Il m'aime plus que toi. Il me laisse dormir sur sa fourrure.

— Il est juste gentil, c'est tout. Phoébée m'a dit qu'il s'est vraiment entiché de moi et, de toute façon, t'as peur de lui. J't'ai déjà vu reculer.

— J'ai pas peur. C'est toi qui as peur. Comme ton père.

— Mon père a peur de rien. Il est parti se battre avec les Royal Yorkers. Tu sais même pas où est ton père !

— J'm'en fous ! J'm'en fous !

Les paroles suivantes se perdirent dans les cris et les grondements, les coups de poing et les coups de pied. Phoébée lâcha son seau et s'interposa entre les deux garçons. Un bras l'attrapa et la tira par derrière.

— Laisse-les faire, lui dit James brusquement. Faut qu'ils sortent leur colère.

— Ils vont se tuer.

— Pas eux autres.

Phoébée ne voulait pas les laisser faire : elle détestait la bagarre. Elle ne voulait pas non plus rester à côté de James, mais comme il ne bougeait pas et qu'elle ne pouvait pas abandonner les garçons, elle se tint là, raide et silencieuse.

La bagarre se poursuivit. Les deux jeunes pugilistes roulèrent sur le sol. Ils tapaient dur et s'infligeaient force coups de pied. Ils grognaient, pleuraient ; du sang leur sortait par le nez. Il y eut un cri de douleur. Et James sépara les garçons. Il tint Johnny par ce qu'il lui restait de collet. Arnold tenta de se lever, mais s'évanouit. Phoébée s'agenouilla rapidement à ses côtés.

— James, il y a quelque chose qui ne va pas, murmura-t-elle.

Avant que James n'eût le temps de placer un mot, Johnny se jetait à côté d'Arnold :

— Je l'ai tué ! sanglotait-il. J'ai tué Arnold !

— Il n'est pas mort, dit James. Il s'est juste évanoui. Mais j'suis sûr qu'il a quelque chose de cassé.

Arnold geignit faiblement et revint à lui. Il tenta de s'asseoir, mais Phoébée posa sa main sur sa poitrine et l'obligea à rester allongé. Il la regarda avec des yeux pleins de confiance, et la colère qui avait consumé la jeune fille un peu plus tôt fut aussitôt dissoute.

James avait raison : Arnold s'était cassé un bras. Lucie Heaton, qui avait déjà replacé les os d'un chien et même la patte d'un cheval, redressa l'os cassé, éclissa le bras et l'enveloppa avec du tissu découpé dans le jupon de la mère d'Arnold. Du whisky bu à même la flasque de son mari, Joseph, servit d'anesthésiant.

Le nombre d'enfants autour du feu de Phoébée augmenta d'un. Avec force coups et cris du cœur, Johnny Anderson, qui aimait désormais Arnold aussi passionnément qu'il l'avait détesté, dut être arraché du chevet de son nouvel ami par sa mère, Bertha Anderson. Mais il fut vite de retour. Il dormait auprès de sa mère et mangeait la potée de maïs qu'elle lui préparait, mais passait ses grandes journées avec Arnold. Touchée par le visage accablé du petit garçon lorsqu'il avait réalisé qu'Arnold s'était cassé le bras, Phoébée n'avait pu le renvoyer. Sa mère décida qu'il était maintenant immunisé contre la rougeole, et il put rester auprès du petit Colliver.

Le lendemain matin, quand James passa les voir en allant vérifier ses pièges, Phoébée tentait d'ajuster le bandage qui retenait le bras éclissé d'Arnold, la tête de Lili sur les cuisses et Betsie Parker accrochée à un bras. James sourit.

— Une vieille femme vivait dans une chaussure, récita-t-il. Seulement, t'es pas vieille pis t'habites pas dans une chaussure, mais t'as une ribambelle d'enfants, ça c'est sûr ! Arnold, fais-moi voir ça. J'sais comment envelopper ces choses-là.

James s'agenouilla à côté du garçon et, très agilement, refit son bandage. Phoébée l'observa discrètement. Devait-elle interpréter sa plaisanterie comme un geste d'amitié ? S'il était ami avec Anne et écoutait ses mensonges, elle ne savait pas si elle voulait de son amitié. Sa présence la rendit soudain si mal à l'aise qu'elle put à peine lui adresser la parole. Quant à Anne, elle ne voulait plus rien savoir d'elle. La rage qu'elle avait ressentie en l'entendant proférer ces mensonges à son sujet s'était envolée, mais elle ne supportait plus de la regarder. Elle se souvint d'une phrase d'une histoire que son père lui avait racontée un jour à propos d'un vieil homme entêté et amer qui devint ermite : «Il avait la mort dans l'âme.» «Bien, j'ai la mort dans l'âme, pensa Phoébée, et je n'y peux rien.»

L'épidémie de rougeole s'achevait. Même Lili Thayer semblait avoir passé la période critique, et tout le monde s'accordait pour dire qu'il était urgent qu'ils se remissent en route. Depuis quelques semaines, la neige restait au sol et la glace s'épaississait sur le ruisseau de l'Essieu-en-Deux. Et il y avait déjà deux semaines que les réfugiés campaient là. Deux semaines ! Il semblait à Phoébée que cela faisait deux ans. Comme disait James, elle ressemblait à la vieille femme dans la chaussure et en avait assez de jouer ce rôle ; cela l'irritait même, parfois. La nuit, lorsqu'elle se réveillait, elle tendait automatiquement le bras pour remettre une bûche sur le feu, et pensait au message de Gidéon caché dans sa pochette. «Je ne réussirai jamais à le remettre à ce général britannique», pensait-elle désespérément. Elle n'avait plus de temps pour Bernard et George, non qu'ils eussent eu spécialement besoin d'elle, mais tout de même. George n'abandonnait Jonas que le temps d'une partie de chasse, et Bernard – elle ne l'avait pas réalisé avant qu'Arnold ne le mentionnât – avait disparu.

La nuit avant le départ, ils mangèrent leur souper de haricots et de gâteau d'orge, rassemblés dans leur abri et enveloppés dans des couvertures pour se protéger du froid.

— On peut pas partir sans Bernard, dit Arnold, les yeux pleins de larmes.

— Ça fait deux jours qu'il s'est pas montré le museau, dit Jonas.

Phoébée ne savait que faire. Elle ne pouvait pas abandonner Bernard dans les bois. Les sourcils de James se relevèrent et il partit d'un grand rire.

— Phoébée, tu sais bien qu'les ours dorment tout l'hiver et qu'la neige tombe depuis un bout d'temps, déjà. J'pense qu'il est resté ici pas mal plus longtemps qu'il aurait dû parce qu'il voulait pas vous laisser, toi pis les p'tits. Mais là j'imagine qu'il est allé s'trouver une grotte pour dormir.

— J'aimais mieux penser qu'il n'hibernerait jamais, dit lentement Phoébée. Mais, James, ajouta-t-elle après un moment, s'il reste ici tout l'hiver, au printemps, je serai au Canada et il ne me retrouvera jamais.

— Pensais-tu qu'il allait rester avec toi toute sa vie, comme un chat?

— Je n'y avais jamais pensé. Crois-tu qu'il s'en sortira sans moi? Quand il se réveillera, tu ne penses pas qu'il se sentira un peu seul?

— C'est un ours, Phoébée, pis il sera un gros ours rendu au printemps. Les ours adultes ont pas d'problème à être tout seuls dans les bois.

— Mais, James, je suis sa seule famille. Il était encore avec sa mère quand elle a été tuée.

— Phoébée, t'es une bonne mère pis j'pense que tout l'monde ici t'en est reconnaissant, mais t'es pas une maman ours. Pis veux-tu j'vais dire autre chose, ajouta-t-il en souriant, quand Bernard va sortir de sa grotte au printemps prochain, c'est pas sa mère qu'il va chercher...

Phoébée savait que James disait vrai. Au printemps, Bernard chercherait une compagne pour s'accoupler. Mais Bernard. Bernard était... Bernard. Pouvait-il seulement la quitter comme ça? Son père, Gidéon, Anne... et maintenant lui.

— J'sais qu'Bernard a été un meilleur ami pour toi que personne d'autre, dit James d'un air piteux. Ben, peut-être qu'les amis qui restent devront être meilleurs pour compenser.

— Phoébée, ça veut dire que Bernard reviendra pas?

— Oui, Jédé.

Elle sourit tristement à son cousin qui avait l'air anxieux.

— Mais...

216

— N'insiste pas, Arnold. Il ne reviendra pas.

— Bernard est parti s'coucher pour l'hiver pis ça s'arrête là, compris ? J'veux pus vous entendre, personne ! leur dit James avec impatience.

Les enfants se calmèrent, mais ne le crurent pas. Ils se relayèrent jusqu'à très tard dans la nuit pour appeler Bernard et guetter son arrivée. Au matin, quand Joseph Heaton eut réussi, avec force jurons et trépignements, à traverser le ruisseau de l'Essieu-en-Deux, et que le reste de la caravane eut entrepris de le suivre, les enfants se mirent à hurler si fort pour appeler Bernard que tous les chars stoppèrent.

Le vieux Aaron Yardley leur promit une histoire d'ours et d'hibernation. Ils s'en fichèrent éperdument. Ils étaient inconsolables. Ce fut Joseph Heaton qui, de sa voix nasillarde, les fit finalement taire en leur criant : « Tous les ours qui vivent dans cette satanée République du Vermont vont être à nos trousses parce qu'ils pourront pas dormir à cause de vos hurlements ! »

Le silence fut si soudain et si total que le cri d'un geai bleu alerta toute la compagnie.

La journée ne s'améliora pas. Les enfants étaient trop abattus pour même se quereller.

Ils restèrent assis en silence dans les chars. De leur petit groupe ne fusaient que les quintes de toux de Lili. La petite orpheline ne s'était pas bien remise de la rougeole. En fait, elle avait développé une toux sifflante, qui s'aggrava au cours des deux jours suivants, alors que les réfugiés progressaient lentement vers le nord, à travers les bois et les ruisseaux gelés. Il tomba de la neige et de la neige fondante, et le vent devint plus froid, et, pendant tout ce temps, les forces de Lili s'étiolèrent à vue d'œil. Chaque fois que le char des Robinson passait sur une grosse racine ou que le bœuf tirait brusquement sur ses harnais, elle se tordait dans une énorme quinte de toux.

— Il faut s'arrêter pour aujourd'hui, dit Rachel à Phoébée. Cette enfant est trop malade pour continuer.

Les autres réfugiés acquiescèrent et, bien qu'il ne fût que midi, ils montèrent le campement. Il s'étaient arrêtés dans un renfoncement de la piste, près d'un ruisseau, dans une pinède très dense et sans clairière. Ils s'inquiétèrent donc de ne pas pouvoir faire de feu, d'autant plus que le bois sec semblait une denrée rare. Pour contrer cela, ils se rassemblèrent autour de trois petits feux. Joseph Heaton bougonna, mais son épouse Lucie donna à Lili une de leurs courtepointes. Et

Bertha Anderson lui apporta une petite bouteille de cordial[15] aux framboises.

— Tiens, dit-elle à Phoébée d'un ton bourru, en lui remettant la fiole. J'le gardais pour célébrer notre arrivée au Canada, mais la pauvre p'tite âme en a plus besoin qu'nous autres.

Maîtresse Anderson se pencha sur Lili et mit sa main sur son visage brûlant ; l'orpheline ne réagit pas. Phoébée essaya de lui faire boire un peu de cordial, mais en vain. De peine et de misère, elle réussit à lui faire avaler deux cuillerées d'eau chaude que Lili vomit aussitôt. Les autres enfants se rassemblèrent en silence, craignant de s'approcher ou de s'éloigner.

— Phoébée, est-ce qu'elle va mourir ? murmura Jédéas à l'oreille de sa cousine.

— Non, lui répondit-elle, le cœur serré. Bien sûr qu'elle ne mourra pas. Bien sûr que non.

Ce soir-là, les réfugiés partagèrent leur bouillie de maïs, agrémentée de quelques haricots pris à même leurs maigres réserves. Le vent rageait dans la cime des arbres et la neige fondante tombait drue, mais les grands conifères n'avaient jamais été si denses et leur

---

15. N.D.L.T. Boisson alcoolisée aromatisée qui peut aussi servir de remontant pour les malades.

couvert plus chaud et plus sec que depuis des semaines. Ils se parlèrent avec gentillesse. Même Anne et Charité Yardley ne chuchotèrent pas entre elles telles des conspiratrices, comme c'était leur habitude. Tous savaient qu'une ennemie beaucoup plus dangereuse que les animaux sauvages ou les soldats maraudeurs régnait sur ce coin de terre.

Quand le temps fut venu de s'installer pour la nuit, George, qui avait toujours évité les caresses de Lili, se coucha en rond à côté d'elle, et Jonas s'étendit de l'autre côté de la fillette. Phoébée resta assise toute la nuit, la tête de Lili sur les cuisses. Mais ce ne fut pas assez. Pendant cette nuit venteuse, l'état de Lili empira d'heure en heure, et, à l'aube, sans un gémissement, elle mourut.

Le jour se leva, brillant et figé, mais les visages des réfugiés n'affichaient pas la même clarté. Phoébée était abasourdie. Elle avait vraiment cru que Lili s'en tirerait. Elle avait eu conscience du danger qui menaçait la fillette, mais certains enfants lui avaient semblé aussi atteints que Lili et s'en étaient tirés. Et il y avait autre chose, aussi. Lili, si bruyante et si exigeante, s'était taillé une place dans le cœur de Phoébée sans que celle-ci s'en aperçût, et, maintenant qu'elle était morte, la jeune fille le réalisait.

Quant aux autres, ils pleurèrent la mort de Lili, chacun à sa façon. Jonas partit en claudiquant de son côté. Jédéas et Noé ne quittèrent pas les jupes de leur mère. Johnny Anderson, Samuel et Arnold Colliver et Jeannette Morrissay se regroupèrent, et Betsie Parker suivit Phoébée comme son ombre. La mort de Lili était la première du groupe. La conscience de ce fait se lisait dans les yeux de chacun.

Avec sa maladresse habituelle, Bertha Anderson dit à Phoébée :

— J'pensais que s'il y avait une des orphelines qui mourait, ç'aurait été l'autre. Elle est pas aussi forte, même si elle est plus grande que Lili Thayer.

Elle s'essuya les yeux avec sa manche et renifla bruyamment. Phoébée prit la main de Betsie et la tint serrée dans la sienne.

— Chut ! C'est assez maintenant, ne pleure plus. Maîtresse Anderson ne voulait pas te blesser, dit-elle plus tard à Betsie. Elle est si préoccupée par la mort de Lili qu'elle n'a pas eu de temps à t'accorder. Ne t'en fais pas pour elle. Sa langue tourne aussi vite dans sa bouche qu'un chat qui court après sa queue.

Betsie fit un petit sourire à Phoébée.

James et Joseph Heaton creusèrent un trou dans la terre molle où un vieil arbre était récemment tombé. Là, ils enterrèrent le corps de Lili, enveloppé dans un jupon de Bertha Anderson. À la stupeur générale, l'oncle de Phoébée sortit de sa torpeur et, d'une voix claire et grave, lut l'office funèbre dans son livre de prières.

Les gens passèrent le reste de la journée à sécher leurs vêtements trempés autour des trois petits feux, à cuire des gâteaux d'orge et à se préparer pour le départ prévu aux aurores, le matin suivant.

Ce soir-là, avant le coucher du soleil, Phoébée alla s'asseoir seule près de la sépulture et se remémora Lili, qui lui avait dit : « Tu dois t'occuper de moi », et Bernard, qui s'était accroché à elle pour lui laisser savoir, à sa façon, qu'elle devait s'occuper de lui, aussi. « Et maintenant, vous êtes partis tous les deux », murmura-t-elle.

Elle essuya ses yeux embués de larmes. Elle se souvint soudain de ce dernier après-midi qu'elle avait passé avec Anne et Gidéon. « La guerre est si romantique ! » avait dit Anne. Les larmes de Phoébée se mirent à couler en un torrent qu'elle ne put refouler.

Après un moment, elle sentit une présence auprès d'elle. Elle leva son visage : c'était James. Il tenait une petite croix en bois de cèdre grossièrement gravée qu'il avait fabriquée. Il s'assit et passa son bras autour des épaules de Phoébée.

— Oh! James, je ne pense pas qu'une chose plus horrible que celle-là puisse nous arriver. Vraiment pas.

12

Le prisonnier

Très tôt, le matin suivant, alors que les familles de réfugiés se réveillaient à peine, Phoébée partit à la recherche de branchage qui pourrait faire office de fleurs pour la tombe de Lili. Elle cassa des bouts de branches de cèdre souples. Puis, frissonnante, elle s'accroupit dans la neige devant un petit bassin en bordure du ruisseau pour se laver. Elle était si concentrée à trouver une pierre pointue pour briser la glace qu'elle n'entendit la petite musique que lorsqu'elle fut tout près.

Quelqu'un sifflait *Yankee Doodle*[16]. Un instant plus tard, un jeune homme apparut à

---

16. N.D.L.T. Air populaire de la révolution américaine.

travers les arbres. Il était vêtu de leggings et d'une chemise de chasse à franges en peau de daim, portait de hauts mocassins à ses pieds, un chapeau de fourrure sur la tête et une arme à l'épaule. Apercevant Phoébée, il cessa de siffloter tout net. Ils se fixèrent longuement.

Phoébée revint la première à la réalité. Elle se releva lentement. Des images défilèrent dans sa tête : les hommes qu'elle avait fuis avec Bernard et George, les soldats rebelles qui avaient surpris les réfugiés et les avaient ensuite pillés, et les déserteurs qui les avaient tenus en joue pendant qu'ils volaient leurs provisions. Elle ne lui montra pas qu'elle avait peur. Elle parla sans le moindre tremblement dans la voix.

— Je ne suis pas seule. Si je crie, quelqu'un viendra.

— J'vous veux pas d'mal, mademoiselle. J'vais m'en aller avant qu'vos amis s'pointent.

Il lui sourit et pivota pour repartir. Trop tard. Le bruit des pas sur la glace le long de la berge du ruisseau était fort et distinct. Le jeune homme se mit à courir.

— Arrêtez ! rugit Joseph Heaton.

Il épaula son fusil. James sprinta à travers les arbres, se jeta sur l'étranger et le fit tomber à genoux. Ils se battirent brièvement, mais James avait le double avantage de l'avoir surpris et d'avoir Joseph Heaton à ses côtés, le mousquet prêt à faire feu.

— Vous m'avez attrapé en toute honnêteté, concéda l'étranger quand James lui enleva son fusil et le remit sur ses pieds. J'vous jure que j'vous cherche pas querelle… comme j'suppose que vous m'en chercherez pas non plus.

Il regarda Phoébée avec des yeux désemparés.

— J'allais surtout pas blesser ou insulter votre amie de cœur.

James rougit. Phoébée prit un petit moment pour réaliser ce que le survenant venait de dire. « Amie de cœur ! répéta-t-elle en pensée. Ça ne fera pas plaisir à James. »

— Laisse faire ça ! jappa Joseph Heaton. T'es mieux de nous dire c'que tu fais ici, pis vite à part ça !

Le jeune homme leur dit s'appeler Japhet Oram. Il revenait de travailler pour son oncle, au nord, près de la rivière Oignon, et retournait à Bellow Falls, sur le fleuve Connecticut, au chevet de sa mère malade.

Phoébée l'écouta en silence. Elle savait qu'il mentait. Pas seulement parce qu'il avait hésité avant de dire Bellow Falls, mais aussi à sa façon de s'exprimer. Un jour, son père lui avait dit qu'il n'y avait pas un colon dans toute la haute vallée du fleuve Connecticut « qu'on ne pouvait identifier à son accent». Japhet Oram ne mangeait pas ses mots ni ne marquait ses voyelles comme le faisaient les Vermontois. Jamais auparavant n'avait-elle entendu cet accent lent et traînant. Et il y avait autre chose aussi. Malgré ses vêtements de chasse et sa barbe broussailleuse, il ressemblait davantage à un soldat qu'à un homme des bois. Elle le voyait à sa façon de bouger et à ses cheveux noirs attachés en petite queue. Il ressemblait à Gidéon le jour où elle l'avait trouvé dans sa maison, à Hanovre.

Elle ne leur fit pas part de ses doutes. Japhet Oram n'avait pas l'air d'être plus vieux que James ou que Gidéon. De plus, elle ne faisait pas confiance à Joseph Heaton et n'était pas certaine que James pût l'empêcher de tirer sur le jeune homme s'il pensait qu'il était un espion rebelle. Ce n'était pas la première fois que Joseph Heaton lui rappelait Élieus Pickens et les hommes du comité pour la sécurité publique d'Orland. Non, elle ne dirait rien.

— Si tu penses qu'on va t'laisser repartir juste parce que tu nous l'demandes, lança Joseph Heaton d'un ton hargneux.

Il attrapa les deux bras de Japhet Oram, les replia derrière son dos et les tint serrés.

— Qui nous dit que t'es pas un soldat d'un d'ces satanés rebelles, John Stark ou

Israël Putman? Pis qui nous dit que t'es pas un espion rebelle? Oublie ça, on t'relâchera pas.

— Attendez…, commença Japhet Oram.

Mais Joseph Heaton ne l'écoutait pas. Il pivota et fit face à Phoébée.

— Et qui plus est, on laissera personne te relâcher non plus.

Les yeux de Joseph Heaton brillèrent d'une rancune si intense qu'instinctivement, Phoébée recula.

— Tu l'tiens en joue, compris? aboya-t-il à l'intention de James.

Et poussant son captif en avant, il disparut dans la forêt.

Phoébée avait envie de vomir. Le regard de Joseph Heaton l'avait terrifiée.

— James? dit-elle, hésitante.

James, qui suivait maître Heaton, se retourna en l'entendant l'appeler. À présent, aucune chaleur n'animait plus ses yeux bleus.

— J'pense pas que tu sois une espionne, Phoébée Olcott. Plus maintenant. Tu sais que je l'pense pas. Mais j'donnerais une livre sterling bien sonnante pour savoir c'que vous vous racontiez, toi et ce Japhet Oram.

— Nous ne…

Ce n'était pas la peine de se justifier. James n'attendit pas sa réponse. Phoébée resserra la couverture de Katsi'tsiénhawe autour de ses épaules et se tint là, hésitante. Elle ne voulait ni retourner au campement ni penser à Japhet Oram et à ce qui pouvait lui arriver. Elle regarda par terre. Dans le petit bassin recouvert de glace noire et claire, son reflet la fixait d'un regard vide. «Je ne veux pas penser à toi non plus», dit-elle à son image glacée.

Dans un soupir, elle releva sa tresse emmêlée et la laissa retomber. Elle regarda son visage amaigri où se lisait une grande fatigue; ses yeux étaient cernés comme jamais auparavant. «Personne ne pourrait plus dire que tu ressembles à une grosse perdrix», ajouta-t-elle à l'intention de son reflet.

Au campement, Joseph Heaton avait attaché les mains du prisonnier avec une corde et le bombardait de questions:

— D'où tu viens? Qu'est-ce que tu fais par ici? Pourquoi un jeune homme robuste comme toi est pas en uniforme? Où t'as pris ton arme? C'est pas commun dans l'coin.

Et ainsi de suite, jusqu'à ce que Charité Yardley lui dît d'un ton acide:

— Maître Heaton, si vous espérez avoir des réponses à vos questions, peut-être que vous devriez lui laisser le temps de répondre.

Par la suite, tous eurent quelque chose à dire ou à demander. Japhet Oram leur répéta qu'il allait voir sa mère. Rien de ce qu'il leur disait ne satisfaisait Joseph Heaton.

— On sait que t'es un espion rebelle. Le commandant du Fort Saint-Jean va être content de t'mettre la main au collet, pavoisa-t-il. Pis j'serais pas un brin surpris s'il offrait une bonne récompense.

Tous les autres réfugiés souhaitaient qu'on le libérât. Pour Bertha Anderson, il n'y avait aucune raison valable pour que «des affamés comme nous autres nourrissent une vermine en santé comme lui» et, pour une fois, Charité Yardley fut d'accord avec elle.

Puis Anne s'avança devant le prisonnier.

— Ne le laissez pas partir.

Elle était défigurée par la rage, sa voix tremblait, ses poings se serraient.

— Ne le laissez pas partir. Si c'est un espion, il doit être pendu. La pendaison, c'est le sort réservé aux espions.

Phoébée n'oublierait jamais la terreur qui envahit le visage de Japhet Oram ni les coups d'œil désespérés qu'il lança frénétiquement d'une personne à l'autre. À ce moment-là, elle sut qu'elle devait le libérer. Leurs yeux se rencontrèrent une fraction de seconde. Elle n'osa pas croiser de nouveau son regard.

Malgré tout, les arguments de Joseph Heaton l'emportèrent : ils emmèneraient

Japhet Oram avec eux jusqu'au Fort Saint-Jean. La neige et le vent froid de l'hiver, la mort de Lili, et maintenant la capture d'un homme qui était peut-être un espion redonnèrent aux réfugiés un sens de l'urgence. Rapidement, ils préparèrent le déjeuner et rassemblèrent leurs possessions.

Pendant que les rations de bouillie de maïs étaient distribuées, Phoébée s'esquiva en direction de l'endroit où ils avaient enterré Lili. Elle s'agenouilla au pied de la croix que James avait plantée et y déposa le bouquet de cèdre qu'elle n'avait pas lâché depuis qu'elle l'avait cueilli à proximité du petit bassin. Elle pria pour l'âme de Lili. « Au revoir, Lili Thayer, acheva-t-elle. Tu étais une étrange petite créature acariâtre et, à présent, le bon Dieu t'a rappelée à Lui pour que tu sois avec ta maman et ton papa. J'espère que tu es plus heureuse là-bas que tu ne l'étais ici. » Elle essuya ses larmes, se releva et vit James, à quelques mètres de là.

Peut-être était-ce la tristesse reliée à la mort de Lili, ou la capture de Japhet Oram, ou la folie hystérique d'Anne, ou le fait de revivre en pensée la pendaison de Gidéon, ou encore de savoir que James se méfiait d'elle, mais Phoébée fut soudain prise d'une rage incontrôlable.

— Quelle sorte d'espionnage penses-tu que je fais ici ? cracha-t-elle, en furie.

Elle se pencha, ramassa une motte de terre et la lui lança de toutes ses forces. Puis elle éclata en larmes et partit en courant, dévalant la colline, glissant, tombant et se cognant aux arbres.

Beaucoup plus tard, quand elle fut calmée et qu'elle se frayait un chemin dans la neige derrière le char des Robinson, elle se souvint d'avoir vu des cônes de pin et de la mousse dans les mains de James. Elle avait honte d'avoir mal interprété sa présence auprès de la tombe et essaya de le lui dire, mais chaque fois qu'elle s'approchait pour lui demander pardon, il trouvait quelque chose à faire ailleurs.

Avec son bœuf et son char, Bertha Anderson menait désormais la caravane. Joseph Heaton fermait la marche avec le prisonnier dont les mains liées étaient attachées à son char. Maître Heaton affirma que la responsabilité de surveiller le prisonnier ne devait pas être confiée à un vieil homme faible comme Aaron Yardley ou encore à une jeunesse comme James Morrissay. Il jeta un coup d'œil dédaigneux à Joshua Robinson et, de toute évidence, ne considéra pas que les femmes pouvaient faire le travail. À regret, il avait donc renoncé à la position de tête et, brandissant le poing, il avait averti Bertha Anderson : « Évite les marécages pis fais-nous pas grimper des montagnes. Si tu vois des signes de lynx ou d'animaux semblables, lâche un grand cri pour nous avertir. »

Phoébée l'entendit râler et donner des ordres secs à sa femme et au prisonnier, mais ce qu'elle attendait, c'est qu'un silence lui indiquât qu'il avait quitté son poste. Il ne le fit qu'à deux reprises au cours de la journée, et cria chaque fois à James de venir le remplacer pendant qu'il allait se soulager dans les bois. Elle savait qu'il lui serait impossible de s'approcher de Japhet si James marchait à ses côtés.

Péniblement, ils gravirent d'abruptes collines dans une neige si épaisse que tous durent marcher pour alléger le poids des chars. De temps à autre, une mère insistait pour que la caravane stoppât afin de laisser les enfants se reposer. Oncle Joshua s'appuyait de tout son poids sur tante Rachel. De son côté, Jonas Yardley semblait gagner en force et avançait sur ses béquilles au même rythme que Phoébée, sans jamais se plaindre, le chat toujours à ses pieds.

Anne s'était retirée en elle-même. Elle ne se souciait plus de James et ne potinait plus non plus avec Charité Yardley. Phoébée entendit même maîtresse Yardley dire à Lucie Heaton : «Anne Robinson est la fille la moins obligeante que j'ai rencontrée.» Phoébée n'avait pu s'empêcher de sourire amèrement, mais rien ne pouvait la distraire longtemps de Japhet.

Toute la journée durant et longtemps après qu'ils furent installés pour la nuit, la question tourna et retourna dans son esprit : comment allait-elle libérer Japhet ? Joseph Heaton ne quittait jamais le prisonnier et, quand les réfugiés montaient le campement, il se postait près de lui après l'avoir bien ligoté à un arbre. Et s'il devait le laisser, même pour une minute, James prenait sa place.

Japhet. Phoébée avait commencé à penser à lui en l'appelant par son prénom. Depuis qu'elle avait décidé de le sauver, c'était comme s'il existait un lien entre eux. Un deuxième lien en fait, car bien qu'elle ne sût pas qui il était ni d'où il venait, il était prisonnier comme elle. À la différence qu'elle était libre de s'enfuir dans les bois, même si cela la terrorisait. Elle ne pensait plus pouvoir convaincre Anne qu'elle n'était pas la vilaine qu'elle imaginait. Depuis quelque temps, elle avait commencé à croire qu'elle ne livrerait jamais le message de Gidéon à temps pour qu'il fût d'une quelconque utilité à l'armée britannique. Lili, à qui elle avait promis ses soins, était morte, et même si Betsie Parker se collait à ses flancs, elle était convaincue que la petite orpheline et Jonas s'en sortiraient très bien sans elle. Non, elle n'était prisonnière de rien d'autre que de sa propre terreur de repartir seule dans la nature sauvage. Mais les liens qui l'unissaient à cette prison étaient aussi forts que la corde qui retenait Japhet. D'une certaine manière, elle sentait qu'en délivrant Japhet, elle se délivrait elle-même… et Gidéon.

Quand tous les feux furent pratiquement éteints et que les gens s'installaient fébrilement pour la nuit, Phoébée fit le guet dans l'espoir de pouvoir se glisser jusqu'au gros chêne où Japhet était attaché, pieds et poings liés à l'aide d'une corde grossière faite de racines de cèdre et que les Mohawks appellent *watapi*. Grâce à la pleine lune et au ciel dégagé, elle vit qu'il dormait la tête penchée en avant, pendillant comme une pomme sur sa branche. À moins d'un mètre de lui, Joseph Heaton s'était assoupi. De l'autre côté, à la même distance, James dormait aussi. Désespérée, Phoébée pensa ramper jusqu'à eux et les assommer avec le gros chaudron de Charité Yardley, mais comment en frapper un sans réveiller l'autre ?

« Je devrai être silencieuse », pensa-t-elle. Elle allait se lever quand James se réveilla, s'assit et regarda dans sa direction, comme s'il avait lu dans ses pensées. Elle sentait ses yeux la transpercer. Elle se coucha, bien déterminée à demeurer éveillée, mais, après un moment, elle s'assoupit. Elle rêva que Joseph Heaton, chevauchant Bernard, poursuivait Lili et Gidéon avec son couteau de chasse. James courait à leurs côtés, ses cheveux cuivrés volant au vent. Elle se réveilla lorsque James la secoua.

— Tu faisais un cauchemar.

Elle cligna des yeux et les frotta ; ils ruisselaient de larmes. Elle s'assit, frissonnante, et agrippa la main de James.

— Pourquoi les poursuivais-tu ?

— Hein ?

— Tu étais…. Oh ! dit-elle en secouant la tête, c'était dans mon rêve.

Elle demeura immobile, profitant de sa présence réconfortante, jusqu'à ce qu'elle s'aperçût qu'elle tenait sa main.

— Merci, marmonna-t-elle en la retirant.

— Pas d'problème.

James était aussi embarrassé qu'elle. Il retourna à sa place à côté du prisonnier. Phoébée remonta sa couverture sur ses épaules, mais mit du temps à se rendormir.

Le deuxième jour fut semblable au premier. Bien que le soleil brillât, il faisait froid et le chemin tout en pente était enneigé. James et Joseph Heaton eurent une prise de bec après que le plus jeune des deux eut demandé à Japhet Oram à quelle distance ils se trouvaient de la rivière Oignon, où il serait le plus avantageux de la traverser, et quelle serait la meilleure route à suivre vers le nord à partir de là. Joseph Heaton lui intima de se méfier de l'espion. James marmotta des jurons, et Joseph Heaton répliqua que ce n'était pas chrétien de dire des choses comme celles-là devant des femmes. Si Peggy Morrissay et Bertha Anderson n'étaient pas intervenues, ils en seraient probablement venus aux coups.

Quand James remplaça de nouveau Joseph Heaton auprès de «l'espion», Phoébée vit à l'expression de son visage qu'il en avait plus qu'assez de cet homme suffisant et vindicatif. Et elle ne put s'empêcher de sourire. Soudain, Noé Robinson se lança à la poursuite d'un lièvre, tomba dans la neige et se mit à rouler au bas de la pente. James partit en courant pour le rattraper. Phoébée en profita pour se glisser jusqu'à Japhet. Elle tira son couteau de sa manche, mais Jédéas Robinson accourut vers elle, le chat dans les bras.

— Phoébée! Phoébée! J'ai retrouvé George. Il s'était perdu dans les buissons.

Il pointa son doigt en direction d'un bouquet de buissons, qui ployait au-dessus d'un ruisseau gelé, à côté de la colline qu'ils gravissaient. Se demandant où Jédéas avait trouvé l'énergie, aussi maigre et affamé qu'il était, Phoébée prit le chat dans ses bras et ne réessaya pas de libérer Japhet.

Deux bagarres entre les garçons furent évitées de justesse grâce à l'intervention de Bertha Anderson, qui contraignit Charité Yardley à prendre quelques enfants dans son char une fois le sommet de la colline atteint. Johnny Anderson et Arnold Colliver quémandaient à manger, et Samuel Colliver gémissait qu'il avait très froid. Tous semblaient à fleur de peau, et les querelles toujours sur le point d'éclater.

Phoébée espérait que personne ne l'eût vue près de Japhet, et si oui, que cette personne eût cru qu'elle se trouvait là simplement par hasard. Mais Jonas s'en était aperçu et lui en fit part lorsqu'elle fut de retour à ses côtés et qu'elle lui eut remis George.

— J'ai vu c'que t'allais faire, lui dit-il à voix basse.

Un grand frisson parcourut Phoébée.

— Je l'dirai pas, ajouta-t-il.

Phoébée le regarda, incrédule.

— Japhet Oram est pas c'qu'il dit qu'il est, je l'sais. J'boite, j'suis pas vieux, mais j'suis vite d'en haut, dit-il en souriant. Pis j'déteste le vieux grincheux de Heaton. C'est pas le roi, il sait pas tout pis j'veux pas qu'il gagne contre personne, même pas contre le général George Washington.

Phoébée serra sa petite main dans la sienne. Elle se demanda si tout le monde détestait Joseph Heaton autant que Jonas et elle-même, et que James, probablement. James. Phoébée était convaincue qu'il l'avait vue se glisser jusqu'à Japhet Oram, car chaque fois qu'elle lui jetait un coup d'œil, il la regardait d'un air pensif. Néanmoins, il ne lui en glissa mot.

Au milieu de l'après-midi, les réfugiés débouchèrent sur une noue de castors entourée de conifères. Le sol égal et le couvert des arbres offraient un abri idéal contre le vent qui se levait, et ils s'y installèrent pour la nuit. Joseph Heaton attacha Japhet Oram à un gros érable qui se trouvait dans la noue, à proximité de la forêt.

Hormis remercier Abigail Colliver pour la ration de haricots qu'elle lui apportait, Japhet ne disait rien ni ne regardait personne, quoique Phoébée crût le voir faire un clin d'œil à Jédéas alors que Noé, Arnold et lui-même se tenaient devant lui et le fixaient.

Phoébée campa aussi près du prisonnier qu'elle osât, sans attirer l'attention. Comme elle avait Jonas, Betsie et George avec elle, elle crut qu'aucun réfugié ne s'en apercevrait.

Pourtant, si. Anne. Phoébée venait d'allumer son feu quand elle apparut à côté d'elle.

— Je sais ce que tu projettes de faire, maîtresse Olcott, et ne pense pas un seul instant que tu t'en sortiras. Je surveille tous tes faits et gestes. Tous! Et tu sais ce qui arrive aux traîtres et aux espions, siffla-t-elle.

Et là-dessus, elle disparut dans les ténèbres. Phoébée eut froid dans le dos. Anne avait-elle raconté à Joseph Heaton ce qu'elle soupçonnait? L'attacherait-il? La pendrait-il à l'érable? Et Japhet avec elle? Les autres le laisseraient-ils faire? Elle se mit à trembler.

— Phoébée, ça fait trois fois que j'te l'demande: veux-tu que j'mette les baies dans les haricots?

— Excuse-moi, Jonas. C'est moi qui ne suis pas très vite d'en haut. Oui, donne tout ce que tu trouves à tante Rachel pour le souper.

Seules trois marmites étaient désormais nécessaires pour cuire les rations des réfugiés. Phoébée avait donc renoncé à cuisiner, à moins que la chasse et la pêche n'eussent été bonnes.

Elle s'activa à aider tante Rachel, à installer les enfants, bref, à faire tout pour s'empêcher de penser à Anne... et à Japhet. Ce ne fut que lorsqu'elle eut une dernière fois dissipé chez Betsie sa crainte des hurlements de loups et des hululements de hiboux et que Jonas et George eurent été couchés l'un contre l'autre dans le cocon de courtepointe, que la puissance de ce qu'elle allait faire l'envahit de la tête aux pieds.

Libérer Japhet Oram? Si elle ne le faisait pas, il serait certainement pendu. Il serait pendu comme Gidéon, et ce serait sa faute puisqu'elle aurait pu le libérer et ne l'aurait pas fait. Quoi qu'elle essayât pour ne pas y penser, son imagination lui renvoyait sans cesse l'image du corps de Japhet se balançant à une branche de l'érable auquel il était attaché. Pourtant, chaque fois qu'elle pensait à le libérer, elle se défendait de le faire. Elle avait traversé les montagnes avec un ours et un chat pour rendre un dernier service à Gidéon. Elle avait suivi James depuis Shaw's Landing sur le lac Champlain parce qu'elle avait eu peur d'être pendue si elle retournait à Orland. Comment pouvait-elle se jeter délibérément dans la gueule du loup pour quelqu'un qu'elle ne connaissait ni d'Ève ni d'Adam? «Je ne peux pas le faire, décida-t-elle. Et il ne sera peut-être pas pendu à son arrivée au fort.»

Elle se coucha, mais ne put fermer l'œil. L'image de Japhet se balançant à l'arbre ne la quittait pas. Après une heure de tourment, elle roula sur le côté et regarda l'érable, à quelques mètres d'elle. Comme suspendue au-dessus des conifères, la lune éclairait la noue et Japhet Oram, qui cognait des clous. D'un côté du prisonnier, Joseph Heaton dormait profondément et, de l'autre, James était assis, très droit. Toutefois, de temps à autre, il dodelinait de la tête. Il était évident qu'il avait peine à rester éveillé.

En souhaitant que les loups cessassent leurs cris lugubres, Phoébée demeura étendue sans bouger, ses yeux allant de James à Japhet et à Joseph Heaton, encore et encore. Toute apeurée qu'elle fût, elle savait qu'elle allait devoir poser ce geste. Elle attendit. Une demi-heure. Une heure. La lune était haute dans le ciel et la terre était figée dans un froid silencieux. James dodelina de la tête une fois, deux fois, puis tomba profondément endormi.

Sans vraiment savoir ce qu'elle voulait en faire, Phoébée tendit la main et attrapa une petite bûche dans la pile à côté du feu. Le bout de bois dans une main et le couteau dans l'autre, elle passa en silence à côté de tante Rachel et d'oncle Joshua, près de maîtresse Yardley et du vieux Aaron, et se glissa discrètement jusqu'au bord de la noue puis jusqu'à l'arbre auquel Japhet était ligoté. Comme elle l'atteignait, James remua. Sans y penser, elle le frappa sur la tête avec la bûche. Il s'effondra sans bruit.

En silence, elle s'approcha vivement de Japhet et commença à couper le watapi qui retenait ses mains. Il se raidit, se débattit un bref instant, réalisa ce qu'elle faisait et tint ses mains aussi loin du tronc que possible. Cela sembla prendre une éternité, mais, finalement, ses poignets furent libérés. Il prit le couteau des mains de Phoébée et, en quelques secondes, le watapi entourant ses chevilles fut coupé. Phoébée détacha la corde qui lui enserrait la taille. Il se mit sur ses pieds, laissa tomber le couteau et disparut dans la nuit.

Pendant un moment, Phoébée fut trop ébahie pour bouger, trop ébahie pour se rendre compte qu'elle l'avait réellement libéré. Puis, comme un renard en fuite, elle partit dans la même direction que Japhet. En atteignant le couvert des arbres, elle s'arrêta net.

«James! Oh! Notre Père qui êtes aux cieux, James!» souffla-t-elle.

Elle retourna rapidement où il était étendu, se pencha sur lui et colla son oreille contre sa bouche, terrifiée à l'idée de ne plus sentir son souffle. Il grogna et roula, l'entraînant avec lui. Elle se releva d'un bond en portant la main à sa gorge. Il ne bougea pas. Elle le fixa l'espace d'une seconde. Puis elle tourna les talons et s'enfuit.

13

Face à face

Phoébée s'assit, le dos contre un rocher. Elle replia ses genoux sur sa poitrine et y posa sa tête. Ses muscles endoloris lui faisaient mal, ses pieds étaient en compote, et son souffle était court, mais elle inspirait avec bonheur l'air saturé du parfum des pins. Elle ferma les yeux et écouta le grondement d'une chute, plus loin, en contrebas. Par-delà la musique de la cascade, elle percevait les cris des geais et des corneilles dans les pins et les pruches, qui poussaient sur les escarpements rocheux de chaque côté de la gorge.

Elle s'était enfuie du campement avec une seule idée en tête : ne pas y retourner. Elle n'avait pas fait attention à la direction qu'elle avait prise. Elle était passée au travers de la glace alors qu'elle courait sur des ruisseaux, s'était écorché les mains et le visage dans des bosquets, et avait déchiré ses leggings en escaladant le versant rocheux d'une colline. Elle s'était arrêtée sur un petit plateau sur le flan duquel une rivière avait creusé une gorge profonde dans la montagne, et s'était effondrée contre le rocher. « Je l'ai fait. Je l'ai vraiment fait. » Elle prononça ces mots tout haut et l'énormité de son geste descendit lentement en elle. Elle, la Souris de Gidéon, s'était faufilée jusqu'à Japhet Oram et l'avait libéré de ses liens. Quoi qu'il lui arrivât à présent, il n'allait pas être pendu. Grâce à elle.

— Phoébée ! Phoébée Olcott ! Ne bouge pas ! Ne bouge surtout pas !

Phoébée sauta sur ses pieds. Elle regarda au bas de la pente. La lumière rosée de l'aube était encore très pâle. Elle discerna à peine la silhouette qui gravissait la colline en fonçant vers elle, mais reconnut, sans l'ombre d'un doute, le beuglement enragé de James Morrissay.

— Ne fais pas un pas de plus ! cria-t-elle. L'autre versant de cette colline tombe tout droit dans un précipice. Si tu fais un pas de plus, je saute.

James continua d'avancer.

— Je te jure que je saute !

Phoébée fit un pas en direction de la falaise. James stoppa aux trois quarts de la montée.

— Tu t'en sortiras pas, lui dit-il en montrant les poings. J'te laisserai pas faire. T'as libéré ce bon à rien d'espion pis tu vas devoir répondre de ça ! Ta cousine Anne avait raison depuis l'début. Tu nous as embobinés en t'occupant des enfants. Pis j'pensais, Dieu tout-puissant, que j'étais... Ah ! j'pourrais te tuer pour ça.

Il repartit dans sa direction.

— Je te jure que je vais sauter. Tu n'auras pas à me tuer. Tu n'auras qu'à descendre au pied de la chute et ramasser les petits bouts de moi que tu trouveras. Je ne te laisserai pas me ramener au campement pour qu'Anne, ton ami Joseph Heaton et toi me pendiez à l'arbre où vous aviez attaché Japhet. J'aime mieux mourir ici. Tout de suite.

James stoppa de nouveau. Phoébée ne voyait toujours que sa silhouette sombre et son visage blanc, coiffé de son casque de fourrure.

— J'imagine que c'est ce que tu souhaites, dit amèrement Phoébée. Tu veux me voir pendue à cet arbre. Tu veux voir mon visage virer au noir et mes yeux sortir de leur orbite. Après, Japhet Oram ne te dérangera plus. Et après, peut-être que le fait d'avoir été chassé de ta ferme ne te dérangera plus, non plus.

— Phoébée, non! Je...

— Un pas de plus et je saute! Comme ça, tu ne pourras pas montrer à tout le monde que tu es un héros. Comment m'as-tu retrouvée, James?

— Tu m'as pas frappé si fort que ça, dit-il avec impatience. Je t'ai suivie. Phoébée, je...

— Tais-toi.

Phoébée inspira profondément. Quelques instants avant que James ne surgît, pendant qu'elle savourait son succès, le dos contre le rocher, elle avait compris quelque chose de très important. Et, à présent, si elle devait mourir, elle voulait que James le sût.

— Toute ma vie, dit-elle, je n'ai jamais rien fait pour moi. Mon pauvre papa, qui était si bon en latin et en grec, serait mort de faim si, chaque soir, je ne lui avais pas déposé une assiette sous le nez. J'ai obéi aux ordres de Gidéon parce que je l'aimais. J'ai fait ce qu'Anne m'ordonnait de faire parce que je croyais qu'elle était tout ce que je devais être. Je voulais tellement lui ressembler! Gidéon me disait que j'étais accommodante parce que j'étais prête à voir le soleil sortir de la rivière s'il me disait que c'était là qu'il se levait. Anne croyait qu'il se levait spécialement pour éclairer sa route, et je ne devais surtout pas lui faire ombrage. J'ai été assez stupide pour croire que c'était vrai. Stupide, c'est le mot qui me convient. Et poltronne, aussi. Mais tu sais, James, je pense que Gidéon avait raison, je pense que je suis accommodante, aussi. J'ai laissé ta famille et la mienne me convaincre de les suivre, pas seulement parce que j'avais peur de me retrouver toute seule dans les bois – et Dieu sait à quel point j'ai peur –, mais parce que tante Rachel avait besoin de moi et que j'avais pitié de ces enfants dont personne ne voulait. Je savais comment ils se sentaient et, si elle avait vécu, cette petite peste de Lili Thayer aurait eu une place avec moi partout où je serais allée.

Phoébée fit une pause. Le soleil se levait derrière la tête du jeune homme, et les traits de son visage lui étaient toujours imperceptibles. Elle ne voyait que sa silhouette et son chapeau de fourrure, qui frangeait sa tête d'un halo doré. Derrière lui, au loin, les collines et les montagnes s'élevaient en larges strates, et le levant reposait sur elles telle une boule de feu. Tout autour, le ciel avait la couleur des pétales de rose. C'était si beau que c'en était douloureux.

— Maintenant, poursuivit-elle en avalant sa salive, je m'en vais rejoindre Lili, et j'y vais sans la permission de personne. C'est un acte terrible de pendre quelqu'un, James, et les gens qui le font doivent certainement en répondre devant Dieu dans l'autre vie. Je ne voulais ni devenir l'un d'eux ni avoir quoi que ce soit en commun avec eux, alors j'ai libéré Japhet Oram et je me suis enfuie. Et si je dois mourir par ma propre volonté, même si c'est un péché mortel, je le ferai, aujourd'hui, maintenant. J'ai quinze ans. J'ai eu quinze ans le jour où nous avons enterré Lili. Je suis assez vieille. Alors si tu es vraiment décidé à me ramener pour me pendre, tu peux essayer de m'attraper pendant ma chute.

— Non! cria James d'une voix rauque. Non! Phoébée, ne saute pas! J'veux pas... Phoébée, j'te promets que... Personne ne va te... je... oh! Dieu du ciel, ne saute pas!

— James, je ne te suivrai pas.

Pendant un moment, ni l'un ni l'autre ne parla. Le murmure du vent à travers les pins ajoutait une note funèbre à la musique de la chute. Aucun autre bruit ne venait troubler l'ensemble.

Finalement, James rompit le silence. La brisure dans sa voix était si prononcée que Phoébée la perçut immédiatement. Et aucune trace de colère ne venait l'altérer.

250

— Phoébée... Phoébée, j'veux pas... Phoébée, j't'en prie, saute pas. J'te demanderai pas de revenir avec moi si tu penses que... Ah! maudit, Phoébée.

Il retira son chapeau et se passa la main dans les cheveux.

— Phoébée, j'vais retourner et leur dire que j't'ai pas trouvée, mais...

— Pourquoi, James?

— Pourquoi? dit James, incrédule. Pourquoi? Phoébée, j'ai jamais assisté à une pendaison pis j'voudrais certainement pas commencer par la tienne. J'me fous de c'que t'as fait, j'veux pas qu'tu sois pendue.

Sa voix tremblait et, dans la lumière ascendante du matin, Phoébée vit qu'il serrait son chapeau sur sa poitrine comme s'il l'avait sauvé, lui aussi, de ce terrible sort. Elle prit une grande inspiration.

— Alors, tu veux me laisser vivre?

— Qu'est-ce que tu vas faire toute seule?

— Ce que je faisais avant de te rencontrer près du lac Champlain: mon propre chemin.

— Mais t'as dit que tu l'as fait parce que t'étais rongée par le chagrin, sinon t'aurais jamais été capable.

— Je l'ai fait et je peux le refaire.

— C'est dangereux pour une fille seule, Phoébée.

— Bien moins dangereux que de revenir vers des gens qui me veulent du mal.

— Pas tous.

— Non, pas tous, mais comme tout le monde semble faire les quatre volontés de maître Heaton, je ne me sentirais pas en sécurité. Je ne fais pas partie de votre groupe, James, parce que je n'ai jamais été forcée de quitter ma maison. Mon père s'est battu et est mort pour le camp de ceux qui vous ont fait ça, à vous. Des gens que tu hais. Mon cousin Gidéon a été tué parce qu'il était un soldat de ton camp. Je n'ai pas pris ses papiers d'espion parce que je voulais que les Loyalistes remportent la guerre, mais parce que j'avais besoin de le faire pour lui. J'ai libéré Japhet Oram pour ne pas qu'il soit pendu et non pas parce que je suis une Patriote. De toute façon, ni toi ni moi ne savons dans quel camp il est. Et, tu sais quoi, James ? Je m'en fous. Quand j'étais encore à Orland, j'ai vu des voisins traiter d'autres voisins de la plus horrible des façons, et ces rebelles ne sont pas différents à mes yeux de Joseph Heaton ou de Charité Yardley. James, je me fous de qui gagnera cette guerre, car, quelle qu'en soit l'issue, ça ne changera rien à ce que je pense. Je ne fais partie ni de votre camp ni de celui des rebelles. Je n'appartiens à aucun camp.

Mais toi, si. Maintenant, retourne d'où tu viens, James. Retourne vers les tiens.

James ne bougea pas. Il resta planté là, serrant son chapeau et fixant Phoébée.

— J'peux pas t'abandonner, lui dit-il, et il fit un pas dans sa direction. J'peux pas. Bernard et George sont même pas avec toi.

— Qu'est-ce que j'y peux?

— Phoébée, dit-il d'une voix si basse qu'elle l'entendit à peine, est-ce que ce... ce serait mieux si j'y allais avec toi?

— Quoi? Qu'est-ce que tu dis?

— J'ai dit que je t'accompagnerais.

Elle en resta bouche bée. Comment pouvait-il dire ça après qu'elle eut libéré Japhet Oram? Après qu'il eut eu si faim? Après... après tout ce qu'il leur était arrivé? Cela n'avait aucun sens. Il ne pouvait pas.

— Tu dois suivre ton chemin et je dois suivre le mien, dit-elle, avant de faire une pause. James, c'est très gentil à toi, mais, maintenant, tu dois t'en retourner et remplir tes propres promesses.

Elle se retourna et admira la chute. Les rayons du levant touchaient maintenant la bruine qui la nappait, et l'ensemble brillait comme du corail. De l'autre côté de la gorge, une biche reniflait l'air autour d'elle. Une joie vive envahit Phoébée: elle n'avait plus à mettre fin à ses jours. Elle se retourna vers James.

— Au revoir, James. Dieu te garde.

Elle entama la montée en suivant le bord de la falaise.

— Phoébée! cria James, douloureusement. Phoébée, ne pars pas! Phoébée, tu fais partie de nous. Phoébée, je tiens à toi.

Phoébée s'arrêta net, pivota une fois de plus et dit:

— Je tiens à toi aussi, James.

Et là-dessus, elle partit dans la direction qu'elle avait choisie. Elle grimpa jusqu'au plateau suivant. Là, elle stoppa et regarda derrière elle. James avait disparu.

14

Le fort

Par un beau matin d'hiver, plus de trois semaines plus tard, Phoébée se traîna sur les rives d'une large rivière et s'effondra. Elle était affamée, s'était sévèrement tailladé une cuisse en tombant dans une crevasse et était si épuisée qu'elle n'arrivait plus à penser.

À travers les brumes de l'épuisement, elle entendit une exclamation de surprise, puis un homme qui disait :

— Regarde-moi ça. Un autre de ces réfugiés à moitié mort de faim. Donne-moi un coup de main, veux-tu ?

Phoébée n'entendit plus rien et ne sentit plus rien, jusqu'à ce qu'elle ouvrît les yeux, plusieurs jours plus tard, et qu'elle vît devant elle une paire de yeux gris, qui la fixaient avec anxiété. Les yeux clignèrent de surprise, se plissèrent dans un sourire et disparurent.

— Complètement vannée, voilà tout, dit une femme à la voix grave. Ça et un manque de nourriture. Maintenant qu'elle est réveillée, va lui chercher un bol de bouillon au mess.

— Oui, m'dame, répondit une autre voix.

Et Phoébée sombra dans un profond sommeil.

Lorsqu'elle se réveilla, il faisait noir et elle était seule. Elle se demanda où elle était, mais n'avait pas assez d'énergie pour y penser. Elle apprit plus tard qu'elle était en isolement dans une cabane parce qu'on avait craint qu'elle n'eût la rougeole, la variole ou la scarlatine. Il lui sembla que peu de temps s'était écoulé quand elle s'éveilla de nouveau, mais ce n'était pas le cas puisque de la lumière filtrait à travers le rideau de la petite fenêtre sur le mur opposé. Phoébée reposait sur une couche étroite fixée à même le mur, dans une cabane de bois rond. Contre le mur, vis-à-vis du pied du lit, un feu crépitait dans un foyer de pierres des champs.

«C'est parfait», pensa-t-elle. Elle ferma les yeux mais les rouvrit aussitôt : les charnières de cuir grinçaient alors qu'on ouvrait la porte.

Une femme au visage doux entra avec un plateau.

— Oh! Bon matin, lui souhaita-t-elle.

Elle se débarrassa de son châle et traversa la pièce en direction du lit.

— Maintenant que tu es réveillée, ne te rendors pas, ma chérie, en tout cas pas avant d'avoir bu une gorgée de ce bon bouillon de poulet. Tu n'as tellement plus de viande sur tes petits os qu'un loup affamé lèverait le nez sur toi.

Obéissante, Phoébée ouvrit la bouche et la referma sur la cuillère d'étain pleine de bouillon. Elle était trop faible pour avaler plus de trois cuillerées, mais c'était si bon et l'odeur en était si appétissante qu'elle demanda à la dame si elle pouvait garder le reste près d'elle pour plus tard. Ensuite, elle s'endormit rapidement.

À son réveil, elle était de nouveau seule. Une faible lumière entrait par la fenêtre et filtrait à travers les fentes entre les rondins, tout comme le vent et la neige. Le feu qui couvait éclairait peu et chauffait à peine. Phoébée frissonnait sous l'épaisse couverture. Avec précaution, elle se releva sur un coude. Sa tête pesait une tonne. Elle était étourdie. Petit à petit, elle se força à s'asseoir. Lentement, elle se glissa sur le bord du lit et posa les pieds par terre. Elle les remonta aussitôt. Sur le

257

plancher, à côté de son lit, il y avait une flaque de boue froide. De plus, sa jambe droite l'élançait. Elle la regarda, perplexe. Un bandage avait été proprement enroulé autour de sa blessure. Elle se recoucha. Elle se souvint d'être tombée dans une profonde crevasse et de s'être coupé la jambe sur un rocher pointu. Elle se souvint aussi, en vagues séquences, de son périple à travers les bois, à partir du moment où elle avait quitté James à flanc de montagne. Dans sa mémoire, les jours et les nuits se confondaient, seuls quelques moments ressortaient : la difficile traversée d'une hutte de castor abandonnée, le cri des lynx et le hurlement des loups, l'ascension d'une colline dans les ténèbres, les yeux brillants qui la terrifiaient, la lente constatation que les collines avaient soudain disparu pour faire place à une plaine puis à une rivière sur les berges de laquelle elle s'était affaissée, ne se souciant plus de rien.

« Et je suis en vie et je suis ici, pensa-t-elle. Mais je me demande où est ici. »

Dans la pièce faiblement éclairée, il n'y avait pas d'autre meuble que le lit et un petit coffre, qu'on avait installé sur deux planches pour ne pas qu'il traînât dans la boue. Ce coffre servait de table de chevet. Le bol de bouillon y reposait encore ; une mince couche de glace s'était formée sur le dessus. À côté,

Phoébée vit son couteau et ses mocassins, et, soigneusement pliés, sa tunique, ses leggings… et sa pochette. Elle se demanda où était sa couverture rouge.

Elle porta ensuite son attention sur sa propre personne. Elle était vêtue d'une chemise de nuit de coton, beaucoup trop grande pour elle. «Je suppose qu'elle appartient à la gentille dame», pensa-t-elle, l'esprit dans le vague, en frottant le tissu rêche entre son pouce et son index.

«Je me demande si je suis prisonnière», dit-elle à voix haute, étonnée du son de sa propre voix.

Elle n'attendit pas longtemps pour le savoir. Juste assez, en fait, pour s'imaginer être traînée devant un tribunal militaire composé des visages d'Élieus Pickens, de Moïse Litchfield, d'Hiram Jesse et de Joseph Heaton. Un coup à la porte interrompit sa rêverie. Une Amérindienne mince et de petite taille entra dans la pièce. Elle portait une tunique et des leggings en peau de daim et était enveloppée d'une couverture rouge, comme celle que Phoébée avait portée durant de longues semaines. Ses cheveux étaient tressés en deux longues nattes qui pendaient dans son dos.

— Bon matin, dit-elle en mohawk.

Phoébée lui répondit de la même façon. La femme sourit et dit quelque chose d'autre que Phoébée ne comprit pas. Gênée de ne pouvoir lui répondre, Phoébée demanda à l'Amérindienne si elle parlait anglais, et expliqua rapidement qu'elle n'était pas mohawk et qu'elle ne savait dire que «bon matin», «bonne nuit» et trois autres mots.

— Un jeune Mohawk m'appelle Kahrhakon:ha. Je m'appelle Phoébée, mais Peter Sauk dit que je ressemble davantage à un moineau qu'à une moucherolle[17].

— Les Anglais m'appellent Marie Miracle, dit la femme en souriant à Phoébée. Comme toi, j'ai perdu ma maison dans cette guerre. Mes frères, mon père et mon époux se battent aux côtés de Thayendanegea pour la cause britannique. Tu es entre bonnes mains. Mes sœurs et moi sommes ici au fort pour aider les réfugiés.

— Un fort. Je suis dans un fort. Quel fort?

— Le Fort Saint-Jean, sur la rivière Richelieu.

Elle était au Canada! Le Fort Saint-Jean était celui vers lequel James, tante Rachel, oncle Joshua, Anne et les autres se diri-

---

17. N.D.L.T. En anglais, *phoebe* signifie moucherolle, un petit oiseau d'Amérique mangeur de mouches.

geaient. Son soulagement fut de courte durée. Étaient-ils déjà arrivés ? Combien de temps avait-elle passé au lit ? S'ils étaient ici, ils auraient déjà raconté à l'officier responsable l'histoire de Japhet Oram. Avait-elle été sauvée seulement pour être pendue ? L'officier en charge serait-il clément avec elle si elle lui remettait le message de Gidéon ? Elle regarda la pochette posée sur ses vêtements. Elle avait parcouru une si longue route et rencontré de si nombreux obstacles pour livrer ce message. Et si Anne ou Joseph Heaton avaient déjà parlé contre elle ? Et si, après tout ce qu'elle avait traversé, elle ne pouvait pas remettre le message à un général britannique ?

— Je dois voir l'officier en charge.

Elle s'assit. Trop vite. Étourdie, elle retomba sur sa couche. Elle se rassit, plus lentement cette fois.

— Je dois m'habiller tout de suite. Je dois aller voir l'officier en charge.

Marie Miracle avait l'air hésitante.

— Je pense que tu dois manger et te reposer avant d'être assez forte pour aller quelque part ou voir quelqu'un.

Phoébée ne voulait pas se reposer. Elle voulait sans plus tarder aller voir l'officier en charge, mais lorsqu'elle posa les pieds hors du lit, une vague d'étourdissement s'abattit sur elle, et elle se rendit compte que Marie Miracle avait raison. Des larmes de faiblesse remplirent ses yeux.

— S'il te plaît, dit-elle en tendant la main pour agripper la jupe de Marie Miracle alors que celle-ci allait partir. As-tu entendu parler d'une caravane de Loyalistes du Vermont?

— Il y en a eu plusieurs.

— As-tu entendu parler d'une maîtresse Rachel Robinson ou d'un James Morrissay?

Marie Miracle secoua la tête.

— Je n'ai ni entendu ces noms ni vu de nouveaux réfugiés ici depuis quelques jours. À part toi. Attends-moi.

Marie Miracle lui sourit et quitta la pièce.

Il sembla à Phoébée qu'elle attendit des heures, bien que ce ne fût qu'une quinzaine de minutes. La femme aux yeux gris et au visage doux, celle qui lui avait apporté la soupe, entra. Elle dit s'appeler Élizabeth O'Neil et était l'épouse d'un sergent britannique.

— Tu veux voir l'officier en charge, c'est ça? demanda-t-elle à Phoébée en la regardant d'un air narquois. Es-tu en train de me dire que tu es un éclaireur du roi? Le roi a-t-il des filles dans son armée, à présent?

Elle rit. Que faire? Malgré sa grande gentillesse, Phoébée ne savait pas ce qu'elle pouvait dire à cette femme.

— Non, non, mais il y avait… je connaissais un éclaireur et…il est mort.

— Ah! voilà, c'est ça. Il y a beaucoup de gens qui meurent dans les colonies, tu sais. Je vais voir ce que je peux faire, mais ne t'imagine pas pouvoir rencontrer le général Powell. Il est très occupé à échanger des prisonniers et à traiter avec les réfugiés.

Élizabeth O'Neil s'approcha du lit, se pencha sur Phoébée, la borda, toucha délicatement sa joue et quitta la pièce. Phoébée remarqua à peine son départ. Élizabeth avait mentionné le général Powell. Le général auquel le message de Gidéon était adressé. Bien sûr qu'il la recevrait. C'était SON message.

Soudain, une bourrasque ouvrit la porte toute grande et, interrompant le cours de ses pensées, Marie Miracle entra avec un bol de bouillie de maïs, une bassine d'eau et une mince tranche de savon. Phoébée mangea quelques cuillerées de bouillie, mais reposa rapidement la cuillère en soupirant.

— Lorsqu'une personne est presque morte de faim, elle ne peut pas manger beaucoup.

Et Phoébée comprit par les mots et le regard de Marie Miracle qu'elle était passée très près de la mort. Marie apporta la bassine près du lit, et Phoébée se lava les mains en prenant grand soin de la lamelle de savon.

Il se passa encore un jour avant que Phoébée ne fût assez forte pour se lever et demeurer sur ses pieds après qu'elle eut utilisé le pot de chambre que Marie Miracle lui avait apporté ou encore après qu'Élizabeth O'Neil eut appliqué du baume sur sa jambe blessée et changé son bandage. Un jour long et plein d'impatience. Le matin suivant, elle réussit à ingurgiter toute sa portion de bouillie et, plus tard dans la journée, à boire toute une tasse de bouillon. Ce jour-là, elle se leva en tremblotant et marcha jusqu'au foyer. Assise aussi près que possible des faibles flammes sur un petit banc remis par Marie Miracle, elle se lava le visage, les mains, le cou et les oreilles. Comme il serait bon de se plonger dans un bain rempli d'eau chaude devant un feu ardent, et dans une pièce chaude ! Et d'avoir des vêtements propres ! Les siens étaient tachés et déchirés. Les franges de ses leggings et de sa tunique avaient presque disparu, et ceux-ci étaient si encrassés et saturés de sueur qu'ils ne semblaient plus être faits de peau de daim. De plus, ils étaient maintenant presque aussi grands pour elle que l'était la chemise de nuit. Elle glissa ses pieds dans ses mocassins, qui n'avaient plus que les dessus et les semelles pour retenir les morceaux de couverture avec lesquels elle les avaient réparés. Elle se souvint, à ce moment-là, de s'être assise sur une souche et d'avoir coupé une lisière de sa couverture avec son couteau, pour ensuite la plier et en faire de nouvelles semelles pour ses mocassins troués.

Malgré toute sa faiblesse, Phoébée ne laissa pas passer une occasion de prier Marie ou Élizabeth de la conduire auprès du général Powell. Finalement, dans le courant de l'après-midi, Élizabeth arriva en compagnie d'une jeune femme mince et jolie dont les cheveux pâles étaient protégés par une coiffe toute blanche et toute propre. Une capote recouvrait sa coiffe et une grande cape, ses épaules. Elle les retira, les posa sur le lit et s'approcha de Phoébée avec calme et compétence, à la manière de tante Rachel. Ce souvenir lui serra la gorge.

— Phoébée, je te présente maîtresse Sarah Sherwood. Son mari, le capitaine Juste Sherwood, informe le général des activités de ses éclaireurs. Sa dame verra à ce qu'il ait ton message.

— Oh non! lança Phoébée.

Devant l'air choqué de la femme, Phoébée se rappela les bonnes manières et fit une révérence, bien que tout cela semblât appartenir à une époque révolue et qu'elle en ressentît le ridicule dans ses vêtements amérindiens.

— Je ne veux pas être impertinente, madame, mais je voudrais voir le général

Powell, pria-t-elle. J'ai un message très particulier à lui remettre.

— Je suis désolée, mais le général reçoit très peu de civils. Ton message sera en lieu sûr dans les mains de mon mari.

— Mais je dois absolument le voir !

— Ma chère enfant, dit maîtresse Sherwood en rentrant une mèche de cheveux dans sa coiffe d'un geste impatient, j'ai bien peur que le général Powell ne veuille pas te recevoir. Je suis venue à toi parce que j'ai appris que tu n'avais cessé de supplier quotidiennement, non, toutes les heures, qu'on te conduise à lui. Cela ne se peut pas. Le mieux que tu puisses faire est de confier ton message à un homme qu'il reçoit. Cet homme est mon époux. Le capitaine Sherwood est un soldat loyaliste dont le devoir est de départager les réfugiés des éclaireurs.

Malgré cette explication, Phoébée hésitait toujours. Ce capitaine Sherwood verrait-il à ce que le message de Gidéon se rendît finalement jusqu'au général Powell ? La protégerait-il du courroux de Joseph Heaton et des autres réfugiés ? Et convaincrait-il le général Powell qu'elle n'était pas une espionne ?

— Allez, mon enfant, dit maîtresse Sherwood. Je ne peux m'attarder ici. J'ai laissé derrière moi un nourrisson qui a besoin de mes soins.

Phoébée regarda maîtresse Sherwood puis Élizabeth O'Neil. Rien dans le regard qu'elles lui renvoyaient ne laissait présager qu'elles fléchiraient. Elle se décida enfin.

— Alors, je vous en prie, laissez-moi vous accompagner, dit-elle.

Maîtresse Sherwood fronça les sourcils puis acquiesça.

— Mets ça sur tes épaules, dit Élizabeth O'Neil en lui tendant un châle de laine.

Phoébée le prit, s'en enveloppa et passa la porte basse à la suite des deux femmes. Elle s'arrêta, aveuglée par la brillance du soleil de cette belle journée d'hiver.

— Bonne chance, ma chérie, dit Élizabeth O'Neil.

Elle lui serra la main et partit d'un pas vif.

— Viens, dit maîtresse Sherwood.

Elle agrippa fermement Phoébée par le bras et, ainsi liées, elles traversèrent vivement l'enceinte vers l'ouest.

La cabane où Phoébée avait été logée se trouvait à l'extrémité sud de l'enceinte du fort, séparée du reste des maisons et des baraquements par environ deux cents mètres. Elle était donc plus que reconnaissante à maîtresse Sherwood de lui avoir offert son bras. Il semblait y avoir un grand nombre de gens, de chiens, de chevaux, de chars et de bœufs, et pour Phoébée, qui avait voyagé seule dans la forêt et n'avait vu personne pendant des semaines, ils formaient une multitude grouillante. Elle regarda autour d'elle, espérant apercevoir sa tante ou ses jeunes cousins, mais craignit de voir surgir Joseph Heaton la pointant d'un doigt accusateur. Toutefois, il n'y avait aucun signe d'un visage familier.

Le fort était construit sur le bord d'une large rivière, et seule une route le séparait du cours d'eau. De l'autre côté de la rivière, derrière l'arête d'une butte, Phoébée aperçut des toits de maisons. De chaque côté de la rivière, tant au sud qu'au nord, les terres étaient défrichées aussi loin que ses yeux pouvaient voir. Dans l'enceinte du fort, il y avait des casernes où, semblait-il, vivaient les soldats, des maisons, des entrepôts et un petit chantier naval. À l'extrémité nord se trouvait une grande maison que Phoébée prit pour le quartier général du commandant en chef du fort, le général Powell. Pendant un instant, elle pensa se libérer du bras de maîtresse Sherwood et traverser l'enceinte en courant. Mais l'impulsion ne dura que l'espace d'un instant, car elle savait que, dans son état, elle ne pourrait pas courir aussi vite.

Sarah Sherwood et Phoébée passèrent une barrière, s'arrêtant seulement pour s'identifier au soldat en service, et entrèrent dans un village. Pour Phoébée, le remue-ménage et le bruit qui y régnaient étaient incroyables. Il y avait une quarantaine de maisons de pierre ou de bardeaux, un magasin et une église. Les maisons avaient de hauts toits de chaume ou de bardeaux dont les bords étaient recourbés. De la fumée montait des cheminées. Le village avait un air prospère et joyeux. Il n'était pas beaucoup plus gros que les villages que Phoébée connaissait, mais il lui semblait qu'il existait depuis beaucoup plus longtemps.

— Le village de Saint-Jean[18] était français jusqu'à ce que nous gagnions la guerre contre eux, il y a près de vingt ans, lui dit maîtresse Sherwood. De nos jours, il s'y trouve autant de familles anglaises que de familles françaises. Notre maison est là-bas, tu vois, de l'autre côté de l'église.

L'église et la maison n'étaient qu'à quelques mètres de là. Phoébée était anxieuse d'y arriver le plus vite possible afin de convaincre le capitaine Sherwood de lui laisser voir le général Powell, mais elle était si fatiguée que son pas ralentit, et elle craignit même de devoir s'arrêter.

Maîtresse Sherwood fit une pause.

— Tu ne devrais même pas être debout. Et tu ne le serais pas si tu n'étais si déterminée.

---

18. N.D.L.T. Le village de Saint-Jean dont il est fait mention ici est aujourd'hui la ville de Saint-Jean-sur-Richelieu.

Elle désapprouvait ; tout dans le ton de sa voix le disait.

Phoébée se raidit et se força à accélérer le pas. Deux minutes plus tard, elles atteignirent la cour d'entrée d'une petite maison de pierre où un homme grand et mince, vêtu d'une paire de culottes et d'une chemise, était penché au-dessus d'un banc de scie et coupait une large planche.

— Juste, dit maîtresse Sherwood, je te présente Phoébée Olcott, la jeune femme qui a été retrouvée à moitié morte de l'autre côté de la rivière, la même qui n'a cessé de harceler notre Marie Miracle et Élizabeth O'Neil pour voir le général Powell, depuis l'instant où elle a réouvert les yeux sur notre monde. Elle n'a même pas voulu me confier le message pour que je te le porte, mais je pense que je l'ai persuadée que tu étais, sans l'ombre d'un doute, le meilleur intermédiaire entre elle et le général. D'après ce que m'a dit Élizabeth, elle affirme que ce message appartenait à un éclaireur qui est mort, mais la voici et elle pourra te raconter elle-même son histoire. Phoébée, je te présente mon mari, le capitaine Juste Sherwood des Loyal Rangers de la reine.

Phoébée regarda le capitaine dont le visage affichait une interrogation polie. Sa tête sembla soudainement avoir cessé de fonctionner. Après tout ce temps, après tout ce qui était arrivé, le moment était venu de remettre le message de Gidéon entre bonnes mains, et tout ce qu'elle pouvait faire était de fixer son interlocuteur et de penser, totalement hors contexte, que ses yeux étaient aussi bleus que ceux de James.

— Capitaine Sherwood, dit-elle enfin d'une toute petite voix.

— Lui-même, dit-il en souriant. Sarah, ajouta-t-il en se tournant vers son épouse, je pense que cette enfant a besoin de s'asseoir et ne refuserait pas une gorgée de thé et une petite bouchée. Venez, maîtresse Olcott. Oui, ma femme a raison. Les messages au général Powell passent d'abord par moi. Quand vous vous serez sustentée, vous me raconterez votre histoire. Mais je suis sûr que cela peut attendre.

Juste Sherwood parlait comme un homme habitué à ce qu'on lui obéît. Phoébée réalisa à ce moment-là qu'elle se sentait étourdie et qu'elle avait faim, mais elle ne voulait ni manger ni attendre un seul instant de plus. Elle s'assit sur le bord de la banquette, près du foyer, dans la pièce avant de la petite maison. Le capitaine Sherwood s'assit sur une chaise en face d'elle.

Phoébée tira la pochette usée de sa manche. D'une main tremblante, elle déplia la feuille de papier pelure qu'elle avait trouvée dans l'arbre creux et la lui remit. Elle lui raconta son histoire à partir du moment où elle avait mis la main sur le message, mais elle se tut à propos de la visite de Gidéon à Pauline Grantham. Aussi brièvement que possible, elle narra son périple à travers les montagnes, sa rencontre avec James et la découverte que le Fort Ticonderoga avait été déserté, et son voyage avec les réfugiés loyalistes. Puis, fixant résolument ses mains jointes, elle raconta la capture de Japhet Oram, sa libération et sa fuite. Lorsqu'elle eut terminé, elle s'appuya contre le dossier en bois et ferma les yeux. Elle sentit Sarah Sherwood s'approcher et s'asseoir à côté d'elle.

— Tu as subi une rude épreuve, dit-elle doucement, mais, maintenant, tu es entre amis.

— Oh! mais ce n'est pas tout, dit Phoébée en avalant difficilement. Mon père était un rebelle. Il... il a été tué dans une bataille à Boston, il y a deux ans. Je veux continuer d'honorer sa mémoire. Je sais qu'il croyait que ce qu'il faisait était juste et c'est pour ça que je l'aimais. Je n'ai pas honte qu'il ait embrassé cette cause. Ce n'était pas la mienne, aucune cause n'est mienne, je crois, mais, maintenant, je... j'imagine que vous ne voudrez pas me compter parmi vos amis.

Sarah passa son bras autour de ses épaules.

— Juste a déjà fait partie des «Green Mountain Boys[19]» d'Ethan Allen, les mêmes «Green Mountain Boys» qui nous ont tant arraché à nous, Loyalistes, au nom de la liberté de leur République du Vermont. Mais il a changé son fusil d'épaule. Les oncles de Juste sont des rebelles passionnés, et on sait que le frère d'Ethan Allen a travaillé pour les Britanniques. Tous les membres de la famille Wallbridge sont des rebelles, sauf Élijah qui est avec nous. Et c'est comme ça dans toutes les colonies américaines du roi. Nous sommes aussi divisés qu'une famille de chèvres chamailleuses. Il y eut un temps, dit-elle en soupirant profondément, où nous crûmes que la rébellion serait l'affaire de quelques mois seulement. Nous croyions que nous pourrions tous rentrer chez nous et faire la paix avec nos voisins. Désormais, nous savons que la guerre ne se terminera pas de sitôt et que, si les rebelles gagnaient, nous ne pourrions probablement plus retourner chez nous. Seule la Providence sait ce qu'il adviendra de nous.

Le capitaine Sherwood s'avança et prit la main de Phoébée.

---

19. N.D.L.T. Littéralement, les Garçons des montagnes Vertes.

— Je connaissais Gidéon Robinson, lui dit-il. Je suis désolé.

— Ah oui ? s'exclama Phoébée en le regardant droit dans ses yeux pleins de compassion. Était-il… était-il…?

Sa gorge était pleine de sanglots et elle ne put achever sa phrase.

— C'était un bon soldat.

Ils n'ajoutèrent rien. Phoébée se demanda si Juste Sherwood pensait aussi que ce n'était pas le fait d'un très bon soldat que de se trouver chez lui, à Orland, quand il aurait dû être à des kilomètres de là, en direction du lac Champlain.

— À présent, dit Sarah Sherwood, il est l'heure de prendre un bain et un repas complet et de remplacer ces leggings par une robe : tu n'es plus une créature des bois.

— Mais avant, dit Juste Sherwood, cette jeune femme sera heureuse d'apprendre que nous avons reçu un rapport nous informant que les amis avec qui elle a voyagé si longtemps sont en sécurité. Ils viennent d'arriver au Fort Sorel, sur le fleuve Saint-Laurent.

Oubliant son épuisement, Phoébée se leva d'un bond.

— Tante Rachel ? Est-ce que James… Ma tante est-elle là ? Et Anne ? Sont-ils…?

— Il apparaît qu'un certain fermier Heaton, poursuivit le capitaine, semble croire

274

que vous êtes une dangereuse espionne rebelle. J'ai rapporté son histoire au général Powell, mais ni le général ni moi-même n'étions convaincus qu'une jeune fille qui libère un beau jeune homme était nécessairement une espionne.

— Je ne le suis pas!

— Bien sûr que non, acquiesça le capitaine. Par ailleurs, plusieurs réfugiés du convoi du fermier Heaton ne partageaient pas son avis. Un jeune homme du nom de Morrissay semblait être prêt à se battre pour prendre votre défense.

— James a vraiment…

Le cœur de Phoébée fut soudain rempli de bonheur et elle se tut.

— Vous êtes une jeune femme étonnante, Phoébée Olcott, lui dit le capitaine Sherwood en lui souriant. Si vous étiez sous mes ordres, je recommanderais qu'on vous décerne une médaille de bravoure pour avoir mené à terme la mission d'un camarade décédé. Mais comme je ne le peux pas, je verrai à ce que vous soyez aussi bien nourrie et aussi bien vêtue que cet établissement appauvri peut se le permettre, et à ce que vous soyez emmenée au Fort Sorel par le premier bateau. Fort Sorel est l'endroit où les familles de réfugiés attendent la fin de la guerre et, là-bas, vous serez avec votre famille. J'informerai le général Powell de votre aventure et de votre courage inébranlable dans l'accomplissement de la mission de votre cousin. Je lui remettrai le message que vous avez porté si loyalement.

Il prit de nouveau la main de Phoébée et la serra, enfila son manteau et sortit.

Phoébée se rassit sur la banquette, soudainement consciente de son grand état de fatigue. Elle avait finalement atteint la fin de son périple, qui avait commencé à l'arbre creux. Elle avait fait pour Gidéon ce qu'elle avait prévu. Elle savait désormais qu'elle l'avait fait aussi pour elle-même, pour son père et pour tout ce qu'ils avaient partagé ensemble : la loyauté, la confiance, les promesses tenues. Elle avait tant appris de son père, cet homme calme et érudit. Elle sentit aussi qu'en racontant la libération de Japhet Oram, elle s'était débarrassée d'une grande peur, et les Sherwood ne s'étaient pas retournés contre elle. Toutefois, s'il en avait été autrement, elle savait que si elle devait revivre le moment précis où elle avait coupé les liens du prisonnier, elle le referait sans hésiter.

Les heures qui suivirent furent tout simplement divines. Pendant que, dans la pièce avant, Sarah Sherwood s'occupait de son nourrisson, une servante amena un grand bain dans la cuisine et l'installa devant les flammes du grand foyer. Elle l'emplit d'eau fumante et l'entoura d'un paravent. Ensuite, elle remit à Phoébée une serviette et un gros savon. Et la jeune fille nettoya son corps et ses cheveux de deux mois de crasse et de poussière. Après coup, en regardant l'eau du bain, elle se dit que si les Sherwood avaient une tête sur les épaules, ils pourraient y faire pousser des choux tant elle était pleine de terre épaisse et noire. C'était la première étincelle d'humour qui éclatait en elle depuis qu'elle s'était enfuie du campement.

Sarah Sherwood lui donna une de ses blouses et une vieille robe de laine. Elle avait déjà été bleue, dit-elle à Phoébée, mais après des lavages répétés, elle était maintenant du doux bleu-gris des ailes d'une sittelle. De plus, elle sentait le thym sauvage dans lequel elle avait été conservée.

À la demande de Sarah Sherwood, Phoébée s'assit à la table de la cuisine et mangea un repas complet composé de porc rôti, de pommes de terre et de choucroute. Jamais de sa vie ne récita-t-elle une prière avant un repas avec autant de gratitude dans son cœur.

15

M'attendras-tu ?

Le trajet en bac entre les rapides de Chambly et le Fort Sorel fit l'effet d'une vacance à Phoébée. Elle était montée en croupe tout au long des vingt kilomètres séparant le Fort Saint-Jean de Chambly, et ce court voyage à cheval avait été fort agréable, mais la remontée de la rivière Richelieu sur le bateau à fond plat était un pur délice.

C'était une belle journée de décembre. Le ciel était d'un bleu brillant sans nuages. Quelques petits oiseaux voletaient à travers les branches nues des énormes feuillus sur les berges de la rivière. Le vent était froid, mais Phoébée avait chaud. Sarah Sherwood lui avait donné sa vieille cape de laine brune munie d'un capuchon. Elle lui avait également offert la blouse et la robe bleue, mais Phoébée avait voulu porter les vêtements de Katsi'tsiénhawe. Elle les avait lavés et s'était appliquée à les repriser pendant des heures parce qu'ils étaient devenus un talisman pour elle, une sorte de sauf-conduit que lui avaient remis Peter Sauk et sa famille. Elle avait donc accepté la robe avec reconnaissance, mais enfilé ses vêtements mohawks, au grand désespoir de Sarah Sherwood. Marie Miracle lui avait confectionné une nouvelle paire de mocassins.

À présent, drapée dans sa grande cape chaude, le capuchon remonté sur la tête, Phoébée se tenait au bastingage et regardait avec enthousiasme la campagne défiler devant elle, heureuse de ne plus avoir à être sur le qui-vive. À peine entendait-elle les soldats parler entre eux. Le Richelieu, qui coulait lentement à travers les plaines, était une belle rivière, mais, pensa-t-elle, pas autant que son fleuve Connecticut dont le courant rapide traversait de hautes collines.

À cette époque de l'année, la rivière était gelée, à l'exception d'un passage juste assez large pour qu'un bateau y circulât. Le capitaine du bac lui avait dit que quelques jours de grand froid achèveraient de fermer la rivière pour l'hiver. Il lui avait aussi dit que des gens habitaient le long du Richelieu depuis très longtemps et, ce disant, il lui avait indiqué des villages français bien établis sur chacune des rives. De la fumée montait des cheminées, et Phoébée percevait distinctement, par-delà les glaces, le grincement des moulins, le tintement des clochettes de traîneaux, le hennissement des chevaux, le meuglement du bétail et le murmure des voix humaines. Elle se demanda ce que ce serait de vivre dans un endroit où plusieurs générations d'une même famille avaient vécu, où les limites de la forêt avaient été repoussées, et où la terre avait été labourée depuis si longtemps que, chaque printemps, elle n'attendait que les fermiers pour l'amender pour la prochaine récolte. Dans les champs gelés, Phoébée aperçut les éteules du blé d'Inde de l'été dernier.

Elle pensa aux Français qui demeuraient sur ces fermes, dans ces villages, ces Français qui avaient perdu leur guerre et qui devaient maintenant être loyaux envers la couronne d'Angleterre, loyaux envers un roi qui ne parlait même pas leur langue. Loyal. Ce mot qui avait causé tant de misères. Loyal. Comment des gens pouvaient-ils être loyaux envers un roi qu'ils ne connaissaient pas et qui vivait dans une contrée éloignée, même s'il parlait la même langue qu'eux ? N'était-il pas plus important d'être loyal envers ce qui était juste ou envers les gens que vous connaissiez et aimiez? Qu'y avait-il de bon à tuer ou à haïr des gens parce que quelqu'un que vous ne connaissiez pas faisait du mal à quelqu'un d'autre que vous ne connaissiez pas non plus? Elle pleura son père, mort pour son idée de la liberté, et Gidéon, mort pour un roi, là-bas, en Angleterre. Elle pleura pour Déborah Williams chassée de sa maison, pour tante Rachel et oncle Joshua, pour James dont le père, parti se battre avec les Royal Yorkers, était peut-être mort, et pour Lili Thayer.

« C'est vrai ce que j'ai dit à James, murmura-t-elle farouchement pour elle-même. C'est vraiment vrai. Je ne me soucie absolument pas de qui gagnera cette guerre. »

Toutefois, elle réalisa qu'elle se souciait des réfugiés de guerre, ceux-là même avec qui elle avait voyagé pendant de longues semaines. Avaient-ils tous survécu? La mépriseraient-ils? Malgré ce que lui avait rapporté le capitaine Sherwood et ce qu'il lui avait dit à flanc de colline, près de la chute, James la mépriserait-il? Tante Rachel – elle le sentait – ne se détournerait jamais d'elle, pas plus qu'oncle Joshua d'ailleurs, même si son esprit était désormais absent. Elle ne pensa pas à Anne.

Elle ramena ses pensées à la rivière dont les flots frappaient doucement le ventre du bateau. On était au milieu de l'après-midi. Le bac approchait du Fort Sorel où le Richelieu se jetait dans le fleuve Saint-Laurent. Au loin, le fort délimité par le fleuve majestueux et par la glace refoulée sur les berges par le vent et la mouvance des eaux ressemblait à l'image que Phoébée s'était forgée des châteaux. Toutefois, ce fut le fleuve qui la séduisit.

— Il doit être aussi grand que l'océan ! s'exclama-t-elle.

Phoébée fixait l'étendue d'eau avec fascination. Elle s'aperçut qu'elle avait parlé à voix haute quand une voix lui répondit :

— Pas ici, maîtresse.

Un soldat s'était approché d'elle.

— Au nord-est d'ici, il s'élargit et, vers Québec, il devient salé et ressemble à l'océan. C'est magnifique là-bas quand le vent chante haut et fort contre les falaises rocheuses et dans les grands pins.

Il y avait une note de mélancolie dans sa voix qui força Phoébée à se retourner et à le regarder de plus près. Il était jeune et mince, et avait des cheveux couleur de paille. Il était vêtu comme la plupart des soldats loyalistes qu'elle avait vus au Fort Saint-Jean : un manteau d'uniforme bleu foncé taché et des leggings de lin usés, qui avaient dû être de couleur chamois mais qui étaient maintenant d'un beige indescriptible.

— Vous venez de la côte? lui demanda-t-elle.

— Ouais. J'viens du Maine, et j'donnerais un beau taurillon et trois ans d'ma vie pour être de retour chez nous.

— Pourquoi n'y retournez-vous pas?

Le soldat soupira et ses épaules s'affaissèrent.

— Je suis désolée, dit Phoébée, qui posa impulsivement sa main sur le bras du jeune militaire. C'est que je ne comprends pas ce qui a happé tant d'hommes et de garçons dans cette guerre. Je ne comprends vraiment pas.

Le soldat soupira de nouveau.

— Pour moi, ça s'est passé quand une bande de rebelles ont arraché les vêtements du vieux Obaldor Hanks, qu'ils l'ont recouvert de résine chaude, qu'ils l'ont roulé dans les plumes pis qu'ils l'ont attaché sur une clôture et traîné jusqu'à temps qu'il hurle. Il les avait juste traités de bande de chahuteurs et de voyous. Ça m'a fait tourner le sang. J'ai foncé sur Billy Pierce, pis en deux temps, trois mouvements, j'ai eu toute la bande après moi. J'me suis sauvé à la course. J'devais m'cacher dans les bois pendant un bout d'temps pis après retourner à la maison, mais j'étais assez fâché que j'suis monté jusqu'au Saint-Laurent pis j'ai marché jusqu'aux possessions britanniques des Trois-Rivières, ici, au Canada, pis j'me suis engagé.

— Et maintenant, vous détestez ça.

— Ben, j'en vois pus trop l'utilité. J'ai été dans l'armée de Johnny Burgoyne avec le capitaine Sherwood et le colonel Peters, et j'ai passé le reste du temps ici, dans les Loyal Rangers de la reine. J'ai vu des choses bien pires que c'qui est arrivé au vieux Hanks, mais j'ai rien vu pour me faire douter qu'on serait bien mieux si on débarrassait l'plancher pis qu'on s'en allait chez nous, si vous excusez mon langage, maîtresse. Quand on s'bataillait, mon frère Daniel pis moi, ma mère nous séparait. Elle nous installait chaque bord d'la grande fenêtre pour qu'on la nettoie. On aurait tout donné pour pouvoir passer au travers pis continuer de s'battre, mais la colère de notre mère était pas une chose avec laquelle on pouvait jouer. Ça fait qu'on nettoyait pis on nettoyait, pis au fur et à mesure que l'temps passait, on s'trouvait tellement idiots qu'on s'mettait à rire. Ben, j'me dis que cette guerre-là a peut-être besoin de ma mère pour nous mettre de chaque bord d'la vitre pis nous faire frotter.

Phoébée eut soudain une vision dans laquelle le général Powell, le capitaine

Sherwood, Joseph Heaton et un millier d'autres Loyalistes étaient alignés le long d'une énorme vitre de l'autre côté de laquelle se trouvaient un nombre égal de Fils de la Liberté, de généraux et de soldats rebelles en colère ; tous frottaient sans relâche. Elle pouffa de rire. Le soldat sourit.

— C'est pas une idée très pratique, non ? De toute façon, vous allez devoir m'excuser, mais j'ai plein d'choses à faire avant qu'on accoste. J'vous souhaite bon vent, maîtresse.

— Au revoir. Merci de m'avoir tenu compagnie et de m'avoir fait rire. Je m'appelle Phoébée Olcott et je viens d'un village sur le bord du fleuve Connecticut, au Vermont. Si... si vous me dites votre nom, je prierai pour vous, dit-elle timidement.

Le soldat lui sourit et il eut soudain l'air très jeune.

— J'apprécie votre geste, maîtresse Phoébée Olcott. J'm'appelle Bénédict Larkin, dit-il en lui donnant une vigoureuse poignée de main. Quand j'serai de retour à Sorel, j'viendrai voir comment vous vous en sortez.

L'histoire du lavage de vitres et le sourire de Bénédict Larkin avaient atténué l'inquiétude qui habitait Phoébée à l'approche du Fort Sorel et de ses anciens compagnons de voyage. Elle regarda donc avec une curiosité nouvelle en direction du fort, qui serait son chez-elle jusqu'à la fin de la guerre.

Le Fort Sorel se trouvait sur la rive ouest de la rivière Richelieu, là où celle-ci rencontrait le fleuve Saint-Laurent. Mis à part qu'il fût ouvert à deux endroits sur deux cours d'eau différents, le Fort Sorel était la réplique du Fort Saint-Jean, en plus imposant. Il y avait plus d'étables, plus de maisons, plus de baraquements et de casernes, et le chantier naval était plus grand. Autrement, l'endroit ressemblait tant à celui qu'elle venait de quitter que Phoébée s'attendit presque à revoir les visages qui lui étaient devenus familiers pendant les deux semaines passées au Fort Saint-Jean. Il y avait des soldats vêtus de différents uniformes ; certains avaient des bandages, d'autres se déplaçaient avec une canne. Et il y avait bien sûr les réfugiés, qui affichaient l'air perplexe des enfants en terrain inconnu sans leur mère.

Sa grande cape bien serrée autour d'elle et son ballot de vêtements sous le bras, Phoébée descendit la passerelle et se dirigea vers la grande bâtisse située à l'extrémité ouest de l'enceinte, sans doute le quartier général du commandant du fort. Dans sa manche de tunique, elle sentait le léger craquement de la lettre que Juste Sherwood avait rédigée sur du papier officiel et qu'il lui avait remise très tôt ce matin-là.

Elle se frayait un passage entre les attroupements, les chars et les chevaux quand elle entendit quelqu'un crier son nom. Elle pivota rapidement. C'était James. Grand, dégingandé, ses cheveux roux volant au vent, il courait dans sa direction. D'un mouvement vif, il l'enveloppa de ses bras, puis la leva et la serra si fort qu'elle pouvait à peine respirer. Il l'embrassa sur les yeux, le nez et partout sur le visage, la serra de nouveau, puis la remit sur ses pieds, sans toutefois la lâcher.

— Phoébée! Oh! Phoébée! dit-il en tremblant et d'une voix enrouée. J'pensais... J'pensais... Oh! Phoébée!

Son visage était baigné de larmes. Il la reprit dans ses bras et la serra si fort contre sa poitrine qu'elle en cria. Il relâcha aussitôt son étreinte.

— Dieu du ciel, Phoébée, j'pensais qu't'étais morte.

— Je... je ne suis pas morte.

Vivement, elle lui enserra très fort la taille. Elle était heureuse, gênée, et ne savait que faire. Personne ne l'avait jamais embrassée comme ça, personne ne lui avait jamais démontré d'affection de la sorte. Elle était saisie. James recula et, en hâte, essuya ses yeux du revers de ses manches.

— Je vais bien, James, dit-elle dans un souffle, tentant de dissimuler sa confusion. En fait, je vais mieux. Je me suis blessée et je suis presque morte de faim, mais je suis arrivée au Fort Saint-Jean… Non, ce n'est pas vrai, en fait, j'étais presque arrivée au Fort Saint-Jean quand des soldats m'ont trouvée, et là il y avait Marie Miracle et Élizabeth O'Neil qui ont pris soin de moi, et le capitaine Sherwood et son épouse Sarah ; elle m'a donné une robe, mais je ne voulais pas la porter parce que la sœur de Peter m'a donné ses vêtements et de toute façon je l'ai gardée et j'étais inquiète de venir ici, mais un gentil soldat du nom de Bénédict Larkin m'a fait rire avec une histoire de lavage de fenêtres…

— Holà !

James lui sourit. Il tendit les bras pour l'attirer à lui, mais il les laissa retomber sur ses flancs, rougit et fourra ses mains dans ses poches de manteau.

— De quoi tu parles, Phoébée ?

— Je ne sais pas.

Elle se mit à rire. James aussi. Ils se fixèrent puis détournèrent le regard. Ils rirent de nouveau, heureux de s'être retrouvés. Finalement, leurs rires s'estompèrent, les laissant tous deux moins embarrassés. Phoébée reprit conscience des voix, des gens qui allaient et venaient, des chevaux qui hennissaient.

— James, est-ce que tout le monde va bien ? Est-ce que tout le monde s'est rendu ?

Le sourire hésitant disparut du visage de James.

— Pas tout l'monde, soupira-t-il. Phoébée, ton oncle Joshua s'est rendu jusqu'ici, mais il est mort quelques jours après notre arrivée. Il était complètement à plat. Anne le prend mal.

Oncle Joshua. Il avait toujours été une ombre dans la famille. Calme, studieux, frêle. Phoébée sentit les larmes lui monter aux yeux à l'idée qu'il était mort loin de chez lui, loin de ses livres et du travail qu'il aimait tant. Elle se souvint d'avoir entendu tante Rachel dire qu'oncle Joshua n'aurait jamais dû quitter le Connecticut. Maintenant, il les avait quittés pour toujours.

James prit le ballot des mains de Phoébée, et ils marchèrent ensemble dans la neige épaisse en direction d'une baraque de rondins, le long du mur sud de l'enceinte. James lui dit que les réfugiés en provenance du Vermont et de New York étaient logés là.

— Et y'a juste une grande pièce pour tout l'monde, maugréa-t-il. Mais bon, y'a des gens qui sont arrivés après nous et qui doivent vivre dans des tentes.

Il indiqua l'extrémité ouest de l'enceinte où une demi-douzaine de tentes avaient été montées.

— Ils vont bientôt faire construire d'autres bâtiments, mais, en attendant, le général sait pas quoi faire de nous, poursuivit-il. On est déjà beaucoup pis il en arrive chaque jour. Personne sait quoi faire de sa peau. M'man s'était imaginé qu'les choses seraient simples si on s'rendait dans une autre colonie britannique. Ben, nous y v'là, mais il paraîtrait qu'le gouverneur Haldimand, qui vit à Montréal, est convaincu que certains d'entre nous sont des espions rebelles. Ça fait qu'il va faire construire un camp pour les Loyalistes à Yamachiche, de l'autre côté du Saint-Laurent, comme ça on sera plus loin du pays rebelle et on fera d'mal à personne.

— Pourquoi y aurait-il des espions? Et que feraient-ils dans un camp canadien, rempli de réfugiés?

— Ben, c'est qu'y'a pas juste des réfugiés ici, y'a des soldats aussi. Ici, c'est un vrai fort. À Yamachiche, y'aurait juste vous, les réfugiés.

Phoébée s'arrêta net et se tourna vers James.

— Vous, les réfugiés? répéta-t-elle. Que veux-tu dire par «vous, les réfugiés»? Toi aussi, tu en es un.

— Phoébée, y'a une chose que j'dois t'dire.

James agrippa sa main en la regardant puis détourna le regard.

— J'me suis engagé.

— Engagé?

— Phoébée, j'te l'ai dit quand on est partis du lac Champlain pour aller rejoindre ma mère. J't'ai dit que ça m'démangeait de m'engager.

— Oui, mais…

— Pis j'ai pensé que ma mère était en sécurité ici, pis qu'elle se passerait très bien d'moi. J'pensais que tu reviendrais jamais.

Il prit une grande inspiration.

— Pis de toute façon, je l'ai fait.

Il la regarda avec appréhension. Après un long silence, il lui demanda:

— Tu dis rien?

Que pouvait-elle dire? Sa tête avait cessé de fonctionner.

Il grimaça, la regarda comme s'il allait ajouter quelque chose, soupira et se remit en marche.

Comme l'avait dit James, l'intérieur du baraquement n'était qu'une grande pièce d'environ douze mètres de long sur sept de large. «Ce n'est qu'un campement couvert», pensa Phoébée. Mais aucun campement n'avait jamais été aussi enfumé ni n'avait tant empesté les vêtements sales, les odeurs corporelles, la nourriture rance et la vieille fumée. À chacune des extrémités, les foyers réussissaient à peine à chauffer la pièce, et leur fumée ne faisait qu'ajouter à la puanteur ambiante. L'air frais pénétrait par les interstices entre les rondins et par les bords des portes et des deux fenêtres.

Phoébée tira sa cape sur son nez alors que, des yeux, elle faisait le tour de la pièce. À travers la fumée, elle aperçut tous ceux dont elle avait craint la rencontre. Toutefois, ses appréhensions avaient maintenant disparu. Complètement disparu. Elle était contente. Même de revoir le visage revêche et coléreux de Joseph Heaton tourné vers elle.

Avant que maître Heaton n'eût le temps de dire un mot, Betsie Parker la vit et se précipita vers elle. Phoébée la prit dans ses bras. Par-dessus la tête de Betsie, elle vit Jonas Yardley qui lui souriait. Il tenait George tout contre lui. Les yeux de Phoébée se remplirent de larmes.

— Heureuse de te revoir, Jonas, dit-elle en lui souriant timidement. Et George, aussi.

Il posa le chat par terre et s'approcha d'elle en se balançant sur ses béquilles. Il lui tendit la main. Phoébée la prit et la serra fort.

— Viens, dit-elle.

Betsie Parker lovée au creux de son épaule, James d'un côté et Jonas de l'autre, elle marcha en direction de tante Rachel, qui s'était levée et venait à sa rencontre.

— Holà, maîtresse Phoébée Olcott!

Joseph Heaton poussa Jonas, qui faillit tomber. Il agrippa Phoébée par le bras et la fit pivoter. Betsie poussa un cri.

— T'as plus de culot que toute l'armée rebelle réunie pour t'aventurer ici. T'es une traîtresse et une espionne, et nous, les honnêtes gens, on veut pas de toi ici. On veut que tu sois enfermée et traitée comme le reste des espions, pis fie-toi sur moi pour y voir.

James agrippa Joseph Heaton par l'épaule.

— Lâche-la, lui dit-il d'un ton brusque.

Phoébée posa Betsie par terre, se dégagea de la poigne de maître Heaton et lui tendit la main.

— Comment allez-vous, maître Heaton?

— Ne m'joue pas le jeu du «comment allez-vous»! jappa-t-il.

À ce moment-là, les gens s'étaient tus et se dirigeaient vers eux. Betsie s'agrippa à la jambe de Phoébée. Jonas prit sa main. James passa son bras autour de ses épaules. Phoébée se rappela la nuit où elle était arrivée au campement et qu'Anne lui avait hurlé à la tête. Elle avait été seule. Elle ne l'était plus.

— Maître Heaton, dit-elle, je ne suis ni une traîtresse ni une espionne. J'ai en ma possession une lettre du général Powell du Fort Saint-Jean qui dit que je dois m'installer ici jusqu'à ce que la guerre soit finie. Il sait tout ce que j'ai fait, et ne veut absolument pas m'envoyer en prison.

— Le général sait pas c'qu'on sait, et qui plus est, j'vois pas de lettre ici.

Phoébée tira la lettre de sa manche et la lui tendit.

— J'peux pas lire avec cet éclairage-là, grogna-t-il. Lucie, viens ici. Tes yeux sont meilleurs que les miens.

Lucie Heaton s'approcha de son mari. Elle sourit timidement à Phoébée, qui lui sourit en retour et lui tendit la lettre. Maîtresse Heaton lut à voix haute les mots que le capitaine Juste Sherwood avait demandé au général Powell d'écrire, des mots qui faisaient l'éloge de Phoébée quant à son courage et à sa persévérance à livrer le message confié à l'éclaireur Gidéon Robinson. La lettre s'achevait par une demande au commandant du Fort Sorel d'offrir «secours et asile» à Phoébée Olcott aussi longtemps qu'elle en aurait besoin. Et c'était signé «Brigadier général Watson Powell, commandant, Fort Saint-Jean».

La lecture terminée, Lucie Heaton remit la lettre à Phoébée.

— Tiens, mon enfant, dit-elle doucement, tu en auras besoin.

Joseph Heaton sembla se ratatiner sur place. Il jeta un coup d'œil à la ronde pour y trouver du support, mais tous lui jetèrent des regards durs et froids. Même Charité Yardley.

— Hum! dit-il. Lettre pas lettre, j'ai mes doutes.

— Ben, enchaîna Bertha Anderson, j'savais depuis l'début que t'étais une bonne fille... malgré c'que certains disaient. Sinon, j'aurais pas pu t'confier Betsie ou la pauvre p'tite Lili. En tout cas, moi, j'suis contente de t'revoir saine et sauve.

— Viens voir ta tante et assis-toi un moment pour nous raconter ce qui t'est arrivé.

Peggy Morrissay avait profité de l'instant où Bertha Anderson reprenait son souffle pour glisser une invitation à Phoébée.

— Merci, dit Phoébée en souriant à la mère de James.

Entourée de Jonas, Betsie et James, Phoébée se fraya un chemin jusqu'à sa tante Rachel à côté de laquelle Anne se tenait. Assis sur le plancher où ils jouaient avec des soldats de bois grossièrement sculptés, Jédéas et Noé la fixaient, bouche bée.

— Excuse-moi, tante Rachel.

Voilà tout ce qu'elle put dire. Tante Rachel demeura silencieuse, mais prit Phoébée dans ses bras. Quand elles se détachèrent, tante Rachel repoussa délicatement les mèches de cheveux qui tombaient sur le visage de sa nièce.

— Je vois que tu portes toujours les vêtements de ton amie mohawk, dit-elle.

Phoébée sourit à travers ses larmes. Elle regarda le ballot que James portait.

— J'ai aussi une robe, dit-elle.

Tante Rachel lui sourit.

— Alors, ta mission est complétée.

Et Phoébée sut que Rachel avait compris pourquoi elle avait libéré Japhet Oram.

D'une petite voix douce que Phoébée ne lui connaissait pas, Anne lui demanda :

— Phoébée, que voulait dire le général à propos du message de Gidéon ?

Phoébée regarda Anne, puis tante Rachel, James, les enfants et les personnes rassemblées autour d'elle, les gens qui avaient cru qu'elle les avait trahis, les gens avec qui elle allait devoir habiter pendant des mois, peut-être même des années. Elle s'assit donc sur un banc près d'un foyer et leur raconta comment elle avait trouvé le message dans l'arbre creux.

— Et je les détestais, dit-elle. Je détestais ceux qui avaient pendu Gidéon, et je voulais... je voulais...

Toutes les émotions qu'elle avait ressenties en cette aube lugubre lui revinrent. De grosses larmes roulèrent sur ses joues et étouffèrent les mots dans sa gorge. Elle prit une grande respiration et poursuivit :

— J'avais peur, mais je devais le faire pour Gidéon, par amour pour lui. Et parce qu'il était loyal. Et, Anne, parce que tu avais dit que j'étais une rebelle et que tout était ma faute. Alors, je l'ai fait. J'ai pris le message et j'ai suivi le ruisseau, comme Gidéon me l'avait conseillé.

Personne ne bougea ni n'émit un son pendant qu'elle racontait toute l'histoire et leur parlait de George, de Bernard, de Peter Sauk et de sa famille, et de tout ce qui lui était arrivé avant qu'elle ne rencontrât James et ne découvrît qu'il n'y avait personne au Fort Ticonderoga à qui remettre le message de Gidéon.

— Et je suis repartie avec James et vous étiez tous là. Et maintenant, je ferais mieux d'aller voir le commandant du fort pour lui remettre ma lettre et l'entendre me dire ce qu'il attend de moi. Je suis une réfugiée, moi aussi, à présent.

Elle enleva doucement la main de Betsie de sur sa cuisse où elle était demeurée pendant tout le récit, et se leva pour partir. James la regardait attentivement. Elle voulut lui dire pourquoi elle ne s'était pas sentie capable de lui raconter son histoire pendant leur périple vers le Canada, mais elle n'y arriva pas.

Elle venait à peine de franchir le seuil et de faire quelques pas quand, derrière elle, une voix à peine audible la fit s'arrêter. Elle se retourna. C'était Anne, et James était juste derrière. Anne ne portait rien d'autre que sa robe pour la protéger du froid ; elle avait les traits tirés et ses yeux violets étaient assombris par une expression étrange.

— Pourquoi ne me l'as-tu pas dit ?

La question n'était pas formulée comme un reproche. Anne ne semblait vraiment pas comprendre. Derrière elle, James disparut dans le crépuscule. Ni l'une ni l'autre ne remarqua son départ.

— Je ne pouvais pas. Tu étais si en colère. Tu pensais que c'était ma faute. Je ne pouvais pas te parler. Tu voulais que je sois pendue. J'avais peur de toi.

— Gidéon mentionnait-il ton nom dans son message ?

— Non. Non, il ne le mentionnait pas. Il disait que quiconque le trouvait devait le porter à Élias Brant ou…

— Mais c'était mon frère ! J'aurais dû… Je l'aurais porté, ce message, et je t'aurais amenée avec moi !

— Anne, je….

Phoébée était soufflée. Pas une fois, depuis qu'elle avait découvert le minuscule message dans l'arbre creux, n'avait-elle pensé qu'Anne et elle auraient pu braver les montagnes ensemble. Elle n'avait pas pensé non plus à ce qu'Anne aurait pu souhaiter ou à ce qu'elle avait pu ressentir. Elle avait été si dévastée qu'elle n'avait songé qu'à ses propres sentiments, ses propres peurs. En fait, elle réalisa soudainement qu'elle n'avait jamais considéré les pensées ou les sentiments d'Anne. Elle avait toujours eu pour elle une admiration mêlée de crainte. Cependant, Anne était la sœur de Gidéon et, si elle lui avait tout raconté, les événements se seraient déroulés bien différemment.

Elle sentit son visage devenir chaud. Elle ne savait pas quoi dire. Elle tendit la main puis la laissa retomber.

— Je... je suis si désolée, marmonna-t-elle. J'aurais dû te le dire, mais tu étais si... ah! j'aurais dû te le dire! Excuse-moi!

Anne prit la main de Phoébée. Elle tremblait.

— Je... bien... je...

Sa voix se perdit dans l'air. Elle fixa Phoébée, les yeux remplis de larmes.

— J'ai été tellement méchante, murmura-t-elle, et... et je... je pense que je n'aurais jamais été assez brave pour te suivre. Non, je n'aurais jamais pu faire ce que tu as fait.

— Je ne le pouvais pas non plus, dit Phoébée.

Anne fronça les sourcils, perplexe.

— Mais tu l'as fait.

— Si j'avais pris le temps d'y penser, jamais je ne l'aurais fait. Je n'aurais pas pu. Je ne suis pas brave. Tu le sais. Combien de fois me l'as-tu dit !

— Si je t'ai dit que tu étais poltronne, c'est que j'étais dans l'erreur. De penser que je viens de me vanter de pouvoir accomplir la mission d'un soldat, c'est ridicule. Je n'aurais pas pu. Et tu l'as toujours su, n'est-ce pas ?

— Non. J'ai toujours pensé que tu pouvais tout faire.

— Et tout ce temps-là, c'était toi qui le faisais.

Elle se tinrent là, dans la noirceur de plus en plus dense. La neige avait commencé à tomber et le vent se faisait plus cinglant. Les voix des gens qui traversaient l'enceinte étaient si assourdies que les deux cousines semblaient être complètement seules. D'une voix si basse que Phoébée dut tendre l'oreille pour l'entendre, Anne lui dit :

— Pardonne-moi, Phoébée.

— Ça ne fait rien, maintenant, dit Phoébée dont le cœur s'était adouci.

— Nous serons amies comme avant, Phoébée.

— Oui, répondit-elle.

Toutefois, dans la tête de Phoébée, leur amitié ne serait plus celle qu'elle avait été. Anne et elle étaient parentes. Mais amies ? De toute façon, avaient-elles déjà été amies ? Et maintenant ? Tant de choses s'étaient passées. Tant de choses avaient changé. Elle avait changé. Anne avait changé. Mais elle ne pouvait pas confier cela à Anne, pas maintenant, alors qu'elles étaient encore blessées par les paroles et les actions de l'autre. Et il y avait tant de tristesse entre elles. Tout de même, lorsque Anne lui demanda, presque timidement, si elle pouvait l'accompagner jusqu'au quartier général du commandant, Phoébée accepta d'emblée et attendit qu'Anne allât chercher sa cape. Puis elles marchèrent, bras dessus, bras dessous, dans le silence de la neige et le sifflement du vent.

Au matin, le vent était tombé, la neige avait cessé, et quoique le temps fût radieux, il faisait âprement froid. Phoébée se tenait à l'extérieur du baraquement qu'on lui avait assigné à elle, aux Robinson et aux autres réfugiés. Son capuchon relevé et sa cape bien serrée, elle bravait le froid pour échapper à l'air fétide qui régnait à l'intérieur. Elle se demandait tristement si elle reverrait jamais son cher fleuve Connecticut et ses collines tant aimées. Pourrait-elle retourner à la maison lorsque la guerre aurait pris fin? Les réfugiés pourraient-ils jamais retourner chez eux? Leurs maisons les attendraient-elles?

Ses pensées mélancoliques furent interrompues par des pas crissant sur la neige dure. Elle leva la tête et vit James, qui arrivait de la rivière, marcher vers elle. Il portait son mousquet à l'épaule et un sac sur le dos.

— Phoébée.

— Oui.

— Oui, bon...

Sa voix se perdit. Phoébée attendit. Et attendit.

— Oui, James?

— Phoébée...

Il la regardait avec une attention si vive qu'elle se sentit mal.

— Accompagne-moi jusqu'aux quais.

Il prit sa main et ils marchèrent. Seul le bruit de la neige crissant sous leurs pas venait rompre le silence. Ils atteignirent les quais où des hommes s'affairaient à déglacer le bateau qu'on apprêtait pour son voyage le long du Saint-Laurent jusqu'à Montréal.

— Son dernier voyage pour cet hiver. Embarque, fais comme chez toi, dit gaiement l'un d'eux.

James acquiesça.

— J'm'en vais sur ce bateau-là, dit-il à Phoébée.

— Je me disais bien, aussi.

— J'sais à quoi tu penses, mais j'dois faire cette guerre. J'dois faire ma part.

— Ce n'est pas assez que tu aies fait toute cette route avec ta mère et Jeannette? Non?

Phoébée regarda la position obstinée de son menton et l'éclair de détermination qui rendait le bleu de ses yeux presque vert. Rien de ce qu'elle pouvait dire ne l'arrêterait.

— Ta mère le sait?

— Oui. Phoébée, vas-tu t'ennuyer de moi?

Elle ne voulait pas répondre à sa question. Bien sûr qu'elle avait peur que James lui manquât. Elle avait déjà perdu tant de ses proches. Elle ne voulait pas lui dire que l'image de lui se tenant à flanc de colline dans la lumière de l'aube et lui disant qu'il tenait à elle avait été l'unique souvenir qui l'avait aidée à se rendre jusqu'à la rivière Richelieu. Quelque chose dans la façon qu'elle avait de le regarder dut la trahir.

— Hourra! cria-t-il. Phoébée, ajouta-t-il rapidement d'une voix beaucoup plus douce, j'te demanderais en mariage, là, tout de suite, maintenant, j'te le demanderais et j'resterais

304

ici avec toi, mais, Phoébée, mon pays est dans le trouble et tu sais que j'dois y aller.

Oui, elle le savait. Quelle que fût cette chose qui poussait les gens à aller à la guerre, elle était puissante. N'avait-elle pas vu son père partir pour le front? N'avait-elle pas regardé Gidéon partir, lui aussi? Elle secoua la tête de colère, laissant aller les larmes qui avaient envahi ses yeux.

James déposa son mousquet par terre. Il la prit par les épaules.

— On n'est pas mariés, Phoébée, dit-il, mais tu vas penser à moi. Pis quand la guerre sera finie... Phoébée, quand la guerre sera finie, si j'reviens tout d'une pièce... Phoébée, vas-tu m'attendre pour voir si j'reviens tout d'une pièce?

Phoébée le fixait droit dans les yeux. Il la demandait en mariage.

— J'sais que j'ai pas l'droit de t'demander de m'attendre, dit James, mais c'est sûr que j'aimerais ça. J'serai peut-être pas parti si longtemps que ça, tu sais. Quand le général Howe et le général Cornwallis vont lancer l'attaque, on va ramasser les rebelles en moins d'temps qu'il faut pour le dire. Mais j'suppose que peut-être tu...

— James...

— T'es pas obligée de m'répondre, l'interrompit-il vivement. Tu peux oublier c'que j't'ai demandé. De toute façon, j'sais pas pourquoi j'te demande ça après que t'as traversé la moitié du monde pour ton cousin que t'aimes tant. Je… bien… Phoébée, j'serais heureux si j'pouvais partir avec ta bénédiction.

— James…

— Tu devrais même pas…

— James, arrête! Arrête de me dire ce que je devrais faire et ne pas faire. Tu me demandes quelque chose. Maintenant, je veux te répondre. Oui, James, je te donne ma bénédiction. Comment pourrais-je faire autrement? Oui, James, je t'attendrai.

Elle avait prononcé ces derniers mots d'une voix si basse que James dut lui demander de les répéter.

— Oui, James, dit Phoébée d'une voix forte et claire, je t'attendrai parce que… parce que… je t'aime. Je t'aime, James.

Ils se regardèrent dans la lumière crue et froide du matin. Soudain, James lui sembla à la fois un étranger et la personne qu'elle connaissait le plus au monde. Et elle lui avait déclaré son amour.

Le silence fut rompu par le sifflet strident du bateau.

— J'dois y aller, dit James.

Il attira Phoébée à lui et l'embrassa rapidement et maladroitement sur la bouche.

— Je t'aime aussi, murmura-t-il.

Il se tourna vers le bateau puis de nouveau vers elle. Ils se regardèrent, embarrassés. Phoébée posa ses mains sur les joues de James, se mit sur la pointe des pieds et l'embrassa de tout son cœur. Puis elle mit ses bras autour de lui et le tint serré contre elle, comme si elle ne le laisserait plus jamais partir. James l'enlaça, et ils demeurèrent ainsi jusqu'à ce que le jeune homme se détachât de Phoébée sans un mot. Il ramassa son mousquet et marcha vers le bateau. Phoébée avala la boule qu'elle avait dans la gorge.

— Dieu te bénisse et te garde, James Morrissay! cria-t-elle.

Il leva le bras dans les airs pour lui dire qu'il l'avait entendue, mais ne se retourna pas. Phoébée savait qu'il n'osait pas. Elle le regarda monter dans le bateau et l'observa alors qu'il tournait son visage vers l'ouest. Elle resta là, sa tresse fouettée par le vent et ses larmes gelées sur ses joues, jusqu'à ce que le bateau eût disparu sur la rivière.

Son périple avait pris fin. Le message codé avait été remis à son destinataire. Juste Sherwood lui avait dit qu'il dévoilait des mouvements de troupes rebelles et certaines de leurs stratégies de bataille, mais il n'avait pu lui en dire davantage. Toutefois, le jour suivant, il était resté enfermé avec le général Powell pendant de longues heures, et bon nombre d'officiers étaient venus à la maison des Sherwood. Plusieurs d'entre eux s'étaient arrêtés pour la féliciter. Elle avait fait ce qu'elle s'était engagée à faire, et les problèmes qui étaient survenus avaient été résolus. Le passé était maintenant chose du passé. Quoi que le futur lui apportât, elle n'avait plus peur. Elle n'était plus la cousine dévouée d'Anne, la Souris de Gidéon ou le Petit Oiseau de Peter Sauk. Désormais, elle était elle-même, Phoébée Olcott, une personne à part entière... qui allait épouser James Morrissay quand il reviendrait de la guerre.

Épilogue

Par un bel après-midi d'automne de l'an 1784, Phoébée Olcott filait de la laine à l'extérieur de la cabane de Peggy et de Charles Morrissay, sur une île de la rive nord du lac Ontario. Un gros chat orange dormait à ses pieds.

La révolution américaine était terminée depuis trois ans, bien que le traité qui officialisait sa fin ne fût signé que l'année précédente. Les Anglais avaient perdu, et les loyaux supporteurs du roi n'avaient pas été les bienvenus dans leur ancien pays. Leurs terres et leurs biens avaient été confisqués et leurs vies, menacées.

Le roi avait donc décrété que des terres devaient être données aux Loyalistes en Amérique du Nord britannique. De grandes étendues furent achetées en leur nom aux Micmacs et aux Malécites de la Nouvelle-Écosse, et aux Mississaugas du Canada. Les alliés mohawks du roi d'Angleterre, qui avaient perdu leurs terres de la vallée de la rivière Mohawk, dans l'État de New York, eurent droit à de grands territoires en sol canadien. Des hectares de terre furent divisés pour chacun des civils loyalistes, selon le nombre de membres dans leur famille, et pour tous les soldats, selon leur grade militaire et le nombre de membres dans leur famille. Le père de James, Charles Morrissay, qui avait été sergent dans le Royal Regiment of New York, se vit accorder cent vingt hectares : quatre-vingts pour son grade, vingt pour son épouse, Peggy, et vingt pour leur fille, Jeannette.

Les nouveaux villages peuplés de Loyalistes s'étendaient le long du Saint-Laurent, de l'ouest de Montréal jusqu'à la rivière des Outaouais, et vers l'ouest, dans le haut pays, le long de la rive nord du lac Ontario et de ses îles jusqu'à la rivière Niagara. La terre des Morrissay se trouvait sur l'une des îles du lac Ontario, terre dont Juste Sherwood avait dit, dans sa nouvelle fonction de topographe du roi, qu'elle était «riche et bonne pour l'élevage et le pacage».

Au printemps 1784, après de longues années passées dans les camps de Sorel et de Yamachiche, les réfugiés loyalistes se rendirent par voie terrestre jusqu'aux rapides de Lachine, à l'ouest de Montréal, et, de là, en bateau jusqu'à leur nouvelle terre d'asile. Trois mille d'entre eux en tout, une flottille de gens remplis d'espoir et de chants, qui firent avancer les bateaux à l'aide de perches, le long des berges.

Puis, par un beau matin de mai, alors que les violettes et les trilles égayaient les bois de couleurs, que les oiseaux bleus et les pinsons emplissaient l'air de leurs chants, et que les parfums du printemps saturaient l'air ambiant, un groupe de réfugiés se tinrent sur les rives rocheuses du lac Ontario, prêts à tirer leur billet de résidence du chapeau du topographe. Cette méthode avait semblé la plus juste au gouverneur du Québec pour distribuer les terres et les diviser en lots. Des billets marqués d'un numéro de lot furent mis dans un chapeau. Les hommes s'avançaient à tour de rôle et pigeaient un billet, qui leur indiquait la terre qui leur revenait. Les Morrissay se retrouvèrent avec cent vingt hectares de terre à la pointe sud-est de l'île, séparés par une centaine de kilomètres d'eau du pays qui avait jadis été le leur.

Parmi leurs voisins se trouvaient les gens avec lesquels Peggy Morrissay avait passé les années de guerre. D'abord, Bertha Anderson, son fils Johnny et Betsie Parker. Le mari de Bertha, Septimus, avait été tué au cours d'une bataille avec le colonel Simcoe, mais, à treize ans, Johnny était assez vieux et assez fort pour aider sa mère à abattre les arbres et à construire une cabane de bois rond. À treize ans aussi, en plus de cuisiner, de filer et de tisser, Betsie était assez forte pour accomplir, à peu de chose près, les mêmes tâches que Johnny.

Lucie et Joseph Heaton, Abigail Colliver, son mari, Jethro – qui avait miraculeusement survécu à des mois d'emprisonnement au fond d'une mine à Simsbury, au Connecticut, et à six ans de combat avec les Butler's Rangers –, leurs deux enfants, Samuel et Arnold, obtinrent des terres à moins de vingt kilomètres de celles des Morrissay, sur les rives du lac Ontario. Charité et Jonas Yardley (qui avait encore George, maintenant âgé de quinze ans) se trouvaient à quelques kilomètres de là, à l'intérieur des terres ; le vieux Aaron Yardley était mort l'année précédente, à Sorel. Marjorie et Thomas Bother et leurs cinq enfants étaient aussi de proches voisins.

Leur bébé Zacharie avait maintenant huit ans, et Tom, l'enfant né en route vers le Canada, en avait six. Peter Sauk et sa famille devaient s'installer sur les terres réservées aux Mohawks à seulement quarante kilomètres de là. Peter était venu au Fort Sorel pour s'assurer que Phoébée avait survécu à son périple, et une seconde fois, à la fin de la guerre, pour lui dire où ils habiteraient.

Les Robinson étaient la seule famille de réfugiés de la caravane des jours sombres à n'être pas venue s'installer sur l'île du lac Ontario. L'année d'avant, Anne avait épousé un soldat britannique et était partie vivre en Angleterre. Cinq ans plus tôt, tante Rachel s'était liée d'amitié avec madame Boulanger, une veuve de Sorel, et avait décidé de rester avec elle. «Les enfants se sentent chez eux, ici, avait-elle expliqué à Phoébée. Ils parlent aussi bien le français que l'anglais. Je ne veux pas les obliger à déménager encore une fois.»

Phoébée n'avait pas aimé quitter tante Rachel et les enfants, mais dire au revoir à Anne l'avait soulagée. Pendant les années passées dans le camp de réfugiés, les deux cousines n'avaient pas été méchantes l'une envers l'autre, mais Phoébée s'était trompée en croyant qu'Anne avait changé. Elle était toujours aussi centrée sur elle-même et pleine de rêveries romantiques. Phoébée avait été attristée de la voir partir pour Londres, vers une vie qu'elle savait ne pas être à la hauteur des attentes de sa cousine. William Watson, le soldat qu'elle avait épousé, était un bel homme, mais il n'était que sergent et donc pas assez fortuné pour veiller à ce qu'Anne eût les soies, les satins et les boucles de diamants dont elle rêvait. Toutefois, Phoébée n'avait rien dit de tout cela à sa cousine. Elle l'avait embrassée et lui avait dit au revoir en lui souhaitant bonne chance.

Phoébée n'avait pas voulu rester à Sorel avec sa tante Rachel. Elle n'avait pas souhaité non plus rentrer à la maison, même si elle aurait pu, son père ayant été un rebelle. Elle ne se serait plus sentie chez elle à Hanovre ou à Orland. Ses amis étaient ici, au Canada. Désormais, c'était chez elle. Elle avait donc décidé de suivre le père et la mère de James au lac Ontario.

James n'était pas rentré de la guerre. Sa mère, son père et Jeannette l'avaient tous pleuré. Les amis avaient montré de la sympathie, mais Phoébée n'avait pas voulu croire à sa mort. «Il reviendra, vous verrez, avait-elle dit, confiante. Il m'a demandé de l'attendre. Je l'attendrai.»

Les gens avaient murmuré. Elle les avait entendus.

«Pauvre âme, avaient-ils dit, elle va être comme toutes celles qui attendent et attendent toute leur vie, et qui filent et qui tissent pour les enfants des autres.»

Ils avaient secoué la tête avec tristesse quand Phoébée avait refusé sa main à «ce gentil caporal Bénédict Larkin», et s'étaient désespérés quand ils l'avaient vue empaqueter sa robe et sa chemise de rechange, c'est-à-dire tout ce qu'elle possédait mis à part ce qu'elle portait (les leggings et la tunique en peau de daim n'étaient plus que lambeaux et guenilles, qui bouchaient les interstices du baraquement). Elle avait dit au revoir à ses amis, qui avaient décidé de rester le long de la rivière Richelieu ou de partir vers la rivière Niagara. Elle avait promis d'envoyer régulièrement des nouvelles à Rachel et aux enfants et était partie avec les Morrissay. Elle avait emporté le coffre que tante Rachel avait emmené d'Orland, celui qui avait appartenu à sa grand-mère. «Comme ça, tu auras toujours quelque chose de nous avec toi», lui avait dit tante Rachel.

Phoébée repensait à tout cela alors qu'elle était assise sur le seuil de la maison des Morrissay à filer de la laine sous le chaud soleil de cet après-midi d'automne, écoutant les geais et les corneilles et humant le parfum épicé des roses sauvages que la douce brise poussait dans sa direction.

« Voilà ! Tu es presque prêt pour le métier à tisser, dit-elle, et elle gloussa. Phoébée Olcott, pensais-tu vraiment que cet écheveau de laine allait te répondre qu'il était content ? Tu commences à te parler toute seule, ma parole ! Es-tu…? »

Sa voix se perdit. Son pied ralentit sur la pédale, sa main lâcha le rouet. Elle sentait qu'on l'observait. Elle leva la tête et vit un homme, à l'orée de la clairière. Il était jeune, ses cheveux blond roux étaient attachés, sa barbe rousse couvrait son visage si émacié que les os auraient été la seule chose visible si ses yeux n'avaient été si bleus. Il portait des leggings et une chemise en peau de daim frangés et un mousquet à l'épaule. Il était appuyé sur un bâton. Il ne dit rien ni ne bougea pendant un long moment. Puis il releva un sourcil et un coin de sa bouche se retroussa. Phoébée soupira :

— James, dit-elle.

— J'suis tout d'une pièce, Phoébée, même si j'suis encore très faible. J'ai été fait prisonnier. Ils viennent juste de nous libérer. M'as-tu attendu ?

— J'ai un autre chat. Un des chatons de George. Mais pas d'ours, James.

— Ben, j'pense qu'on serait mieux de s'trouver un bout d'terre pour se construire.

James quitta les arbres et s'avança vers Phoébée. Toute tremblante, elle prit une grande respiration. Elle lui sourit et remit son pied sur la pédale et sa main sur le rouet.

— Maintenant, c'est toi qui dois m'attendre. Il faut que je finisse de filer cet écheveau de laine pour ta mère.

James recula et s'appuya contre un arbre.

— Je t'attendrai, dit-il.

Phoébée et James se marièrent aussitôt que le pasteur ambulant passa dans le coin. On accorda à James sa terre de soldat à quelques kilomètres de celle de ses parents, et là, Phoébée et lui dégagèrent une clairière et construisirent leur première maison. Quelques années plus tard, ils la vendirent et s'achetèrent une terre, qui donnait sur une petite baie à l'extrémité ouest de l'île, une terre que James avait découverte alors qu'il était parti avec le jeune Samuel Colliver aider à bâtir un moulin, près d'une anse. D'autres, comme Samuel, s'installèrent aussi sur les bords de cette baie. Parmi eux, le fils de Bertha Anderson, Johnny, et sa nouvelle épouse, Lydia, Jonas Yardley et le jeune Tom Bother.

— Je veux baptiser notre baie «la baie de Hawthorn[20]», dit James à Phoébée, parce

---

20. N.D.L.T. En anglais, *hawthorn* signifie aubépine.

qu'elle est entourée d'aubépines et que ma vieille grand-mère m'a dit un jour que ces arbres portaient chance.

Phoébée n'avait pas besoin d'en savoir plus. Aussitôt qu'elle vit la baie miroiter sous un soleil printanier et les buissons d'aubépines couverts de fleurs blanches, elle ressentit un profond sentiment d'appartenance.

— Nous serons bien, ici, dit-elle. Et nos enfants et les enfants de nos enfants. Nous serons tous bien, ici. La paix régnera en ce pays.

Table des chapitres

Crédit: **Anthea Weese**

Janet Lunn

Janet Lunn est une auteure canadienne très connue et très respectée dont la carrière a été couronnée par de nombreux prix littéraires. Son premier livre a été édité en 1968. Depuis, elle a publié quatorze livres pour les jeunes. Elle a été éditrice jeunesse pour une maison d'édition de Toronto où elle habite ; elle a dirigé des ateliers d'écriture et a siégé à de nombreux jurys littéraires. Ses multiples implications permettent de dire qu'elle est une des grandes spécialistes en littérature pour la jeunesse au Canada.

Crédit: **Alain Gauvin**

Dominick Parenteau-Lebeuf

Née à Saint-Jean-sur-Richelieu, Dominick Parenteau-Lebeuf a vécu au Québec, en France et en Australie. De retour du pays des kangourous, elle poursuit des études de Lettres au cégep de sa ville natale puis d'écriture dramatique à l'École nationale de théâtre du Canada, à Montréal. Depuis lors, Dominick écrit pour les adultes comme pour les enfants. Elle a publié et fait jouer plusieurs pièces de théâtre, remporté un concours de nouvelles et écrit pour des publications spécialisées. En plus de ses activités d'auteure, Dominick est rédactrice et traductrice. *Le message de l'arbre creux* est le troisième roman pour la jeunesse qu'elle traduit.

La collection Deux solitudes, jeunesse

Après avoir créé en 1978 la collection des Deux Solitudes, dirigée par Mme Michelle Tisseyre, afin de faire connaître au Canada français les grands auteurs anglophones – tels Robertson Davies, Margaret Laurence, Mordecai Richler –, les Éditions Pierre Tisseyre ont décidé de mettre sur pied, en 1980, la collection Deux solitudes, jeunesse.

La collection Deux solitudes, jeunesse a pour but de faire connaître aux jeunes lecteurs francophones du Québec et des autres provinces les romans les plus importants de la littérature canadienne-anglaise pour la jeunesse. Déjà plus d'une trentaine de titres, choisis pour leur qualité littéraire et leur originalité, font honneur à cette collection, dont les romans de Kit Pearson, Bryan Doyle, Frank O'Keeffe, Margaret Buffie, et la merveilleuse série des *Émilie de la Nouvelle Lune* de Lucy Maud Montgomery, en quatre volumes.

À l'automne 1998, les Éditions Pierre Tisseyre ont relancé la collection Deux solitudes, jeunesse dans le but d'offrir aux jeunes lecteurs francophones et aux étudiants de plus en plus nombreux dans les classes d'immersion des romans qui leur ouvrent de nouveaux horizons et qui leur permettent d'apprécier une culture à la fois si proche et si différente de la leur.

Collection Deux solitudes, jeunesse

1. **Cher Bruce Springsteen**
   de Kevin Major
   traduit par Marie-Andrée Clermont

2. **Loin du rivage**
   de Kevin Major
   traduit par Michelle Tisseyre

3. **La fille à la mini-moto**
   de Claire Mackay
   traduit par Michelle Tisseyre

4. **Café Paradiso**
   de Martha Brooks
   traduit par Marie-Andrée Clermont

5. **Moi et Luc**
   de Audrey O'Hearn
   traduit par Marie-Andrée Clermont

6. **Du temps au bout des doigts**
   de Kit Pearson
   traduit par Hélène Filion

7. **Le fantôme de Val-Robert**
   de Beverley Spencer
   traduit par Martine Gagnon

8. **Émilie de la Nouvelle Lune**
   de Lucy Maud Montgomery
   traduit par Paule Daveluy (4 tomes)

12. **Le ciel croule**
   de Kit Pearson
   traduit par Michelle Robinson

MEMBRE DU GROUPE SCABRINI

Québec, Canada
2000